D1155709

L'OMBRE DOUCE

La littérature française
aux Éditions Viviane Hamy
(extraits du catalogue)

François Vallejo
Vacarme dans la salle de bal
Pirouettes dans les ténèbres
Madame Angeloso
Groom
Le Voyage des grands hommes
Ouest
Dérive
L'Incendie du Chiado
Les Sœurs Brelan
Métamorphoses

Cécile Coulon
Méfiez-vous des enfants sages
Le roi n'a pas sommeil

Jean-Paul Auffray
Icare trahi

Claire Wolniewicz
Ubiquité
Le Temps d'une chute
Terre légère
La Dame à la larme

Karim Miské
Arab Jazz

Antonin Varenne
Fakirs
Le Mur, le Kabyle et le marin

HOAI HUONG NGUYEN

L'OMBRE DOUCE

VIVIANE HAMY

D'après une conception graphique de Pierre Dusser

ISBN 978-2-87858-576-6

La lune blanche luit dans les bois
De chaque branche part une voix ; sous la ramée…

Paul Verlaine

Une dernière brise murmure dans les herbes.
La fierté rend ses armes et apprend à mourir.
Le soir est mélodieux.

Albert Camus

Vienne le vert été
– ne soyons
pas sépa r é s

Joie si douce
de l'aurore
– son clair regard

Tes mains
couleur de miel
et du soleil mourant

Transperce
jonquille claire –
l'âme de la beauté

I

Le regard perdu dans le fleuve, Mai se disait qu'il lui faudrait attendre l'aube, dans la noirceur de l'eau froide jamais elle ne pourrait ; elle voyait se dresser la silhouette démoniaque de la nuit qui l'attirait irrésistiblement. Sous ses pieds ensanglantés, les flots s'agitaient et leurs vagues furieuses lui rappelaient ce que Yann lui avait dit de l'océan. Certains jours de tempête, on croirait qu'il pleut, mais c'est une averse qui s'élève du bas de la falaise et projette son écume à travers toute l'île ; on ne pouvait voir ce phénomène qu'en s'agrippant au sol, écrasé par le vent. Pourtant, l'océan lui-même ne pouvait rien contre la puissance de l'ombre.

Les eaux s'écoulaient en un flux étrange, invisible. Les vagues de l'après-midi avaient lutté de toutes leurs forces contre la nuit. Tendres et paisibles vagues, arrondies et lumineuses, elles avaient mené cet éternel combat contre l'obscurité. Tristes et patientes, elles avaient souri à un espoir peut-être. Mais, comme toujours, la nuit avait triomphé, transformant ces pauvres fidèles en ombres transies ; elle avait posé ses pas sur l'eau, étreignant ses profondeurs, la saisissant aux cheveux ; enlaçant les dernières lueurs du crépuscule, elle les avait noyées dans ses glaces mouvantes. Dès lors, le ciel s'épanouissait en lointaines étoiles, miroitantes et inaccessibles.

Étrange clarté qui baigne le monde de sa mélancolie. La lune était lumineuse dans le ciel troublé, un fin croissant de lune. Sa blancheur évoquait dans l'esprit de Mai ce vieux poème que Yann lui avait lu ; elle en avait appris quelques vers pour les avoir toujours avec elle, car avec un poème, on n'est jamais seul – *rêvons, c'est l'heure* – il parlait d'un saule – *c'est l'heure exquise* – d'un saule noir qui pleure. C'était de mauvais augure, pourquoi fallait-il qu'il ait choisi ce poème et pas un autre ? Les hommes n'ont aucun discernement, très intelligents, mais sans sagesse. S'il avait préféré un sonnet clair et joyeux, peut-être l'histoire aurait-elle été différente ; mais non, c'étaient la lune et le saule qui l'avaient séduit et tout était bien. Elle ne regrettait rien puisqu'ils avaient eu une journée entière, et la vie n'est-elle pas comme une journée ?

II

Mai avait rencontré Yann à l'hôpital Lanessan ; il était soldat et avait été blessé au thorax. On l'avait transféré à Hanoi pour une opération compliquée et il s'en était sorti presque sans séquelles. Mai faisait partie des jeunes filles que les religieuses envoyaient aider les infirmières ; elle avait été interne au couvent des Oiseaux après la mort de sa mère ; son père ne savait que faire de l'éducation d'une fille et l'avait confiée à d'autres. Depuis quelques mois, elle participait à la tâche patiente et cruelle de restaurer les forces des soldats avant leur renvoi au front.

Lorsque Yann la vit pour la première fois, il ne la trouva ni jolie ni laide, la simple indifférence des paysages silencieux. Mais, après quelques jours, son visage s'était dessiné comme celui d'un être singulier sans qu'il sût vraiment pourquoi. Le son de sa voix peut-être ou la forme de ses mains – pourquoi est-on pris par le charme de quelqu'un ? La première chose qu'il se rappelait lui avoir demandée, c'était ce que voulait dire son nom, une question stupide, elle avait dit – Mai, c'est pour *Hoàng Mai*, la fleur jaune d'abricotier. Yann trouva ce prénom joli ; à l'époque du Nouvel An, les Annamites en coupaient des branches pleines de bourgeons pour les faire éclore dans leur maison – *Hoa đào đỏ, hoa mai vàng*, fleurs roses de prunier, fleurs jaunes d'abricotier –, présage de bonheur toute l'année. Il y avait plusieurs de ces vases dans l'hôpital. Ils lui rappelaient les printemps de son enfance, lorsque les prairies se couvrent de couleurs.

Il était d'une famille de paysans de Belle-Île. Son père y avait une ferme et des terres, sa mère descendait des Acadiens venus s'installer en Bretagne deux siècles auparavant ; pour cette raison peut-être, Yann s'était toujours senti d'ailleurs. La maison de son père était à l'entrée de Locmaria ; elle aurait pu être accueillante, mais elle gardait un air sévère avec ses volets fermés. En descendant la rue, on arrivait en quelques minutes à l'église ; sur la place, il y avait une fontaine dédiée à la Vierge où on allait boire les jours de chaleur. Petit, il courait souvent à l'ombre des tilleuls. Dans les rues étroites on entendait les cris des gamins qui jouaient à la guerre, et Yann ne se doutait pas qu'il serait ici un jour.

Le père de Yann était un homme taciturne. Il avait eu sept enfants, dont quatre étaient morts en bas âge. Il lui restait trois fils, Yann était le plus jeune, et il n'avait eu que peu de contacts avec lui. Cet homme avait toujours considéré son dernier fils comme un être un peu insignifiant. Yann avait été un nourrisson, puis un enfant chétif qu'il avait peu vu. Il avait perdu sa mère quelques mois après sa naissance, une fièvre inexpliquée, et puis elle était morte ; des tantes, des cousines s'étaient assez bien occupées de lui, mais il n'avait pas connu cet amour farouche et absolu des mères pour leurs enfants.

Lorsqu'il était bébé, on s'était demandé s'il vivrait. Puis on s'était habitué à ce qu'il fût souvent malade, on l'envoyait pour quelques semaines ici et là, chez quelqu'un qui pouvait l'accueillir. Son père ne savait parfois plus chez qui il était avant de le voir revenir. Comme il n'avait eu sa mère que très peu de temps, il avait reçu moins d'attention que les autres enfants. On s'occupait à vrai dire peu de lui en dehors des repas et des tâches auxquelles il pouvait aider.

Les hivers de son enfance, il les passa le plus souvent dans la chambre qu'il partageait avec ses frères ou bien chez ceux qui l'hébergeaient, où il ne se sentait pas à sa place et ne savait que faire. Les jours passaient comme dans une ombre grise. Une fois qu'il était chez une voisine, quel âge avait-il, il ne savait plus, elle lui avait donné un livre qui avait appartenu à sa mère avant sa mort. Il était encore petit, trop pour comprendre de quoi il s'agissait, mais il le regarda comme un talisman. Il l'avait caché dans ses affaires, et l'ouvrait seulement de temps en temps de peur de le perdre ; plus tard, il découvrit que c'était un précis de botanique, et cet ouvrage devint pour lui un compagnon de solitude ; il en aimait les pages à l'odeur tendre et sèche. À la belle saison, on le laissait faire de longues promenades, sans se préoccuper de ses allées et venues ; après l'hiver, pour lui c'était revivre. Certains matins où les aînés partaient travailler, il allait jouer dans la crique de Port-Maria ; il se plaisait à parcourir la pente abrupte du chemin qui descendait vers la plage. Les jours de beau temps, dans le haut de la route entre les versants escarpés, on voyait la mer apparaître dans le ciel comme une marguerite bleu pâle. Si on avançait, elle disparaissait derrière les arbres, son cœur se serrait à chaque fois, et fébrilement il descendait vers la plage ; la marguerite réapparaissait et l'amenait jusqu'au bord de l'eau. Il avait une joie intense et vaine à observer à chaque fois ces apparitions et disparitions. Ainsi, il passait beaucoup de temps à perdre son temps dans ses promenades.

Parmi les services que Yann pouvait rendre à sa famille, il y avait celui de porter un paquet au bourg voisin ou même jusqu'à Sauzon, de l'autre côté de l'île. Il partait toujours volontiers sur la grand-route, juché sur la bicyclette familiale trop haute pour lui. Il voyait défiler les champs de blé, l'armée des fougères au bord du chemin et leurs feuilles effilées. Comme le temps ne lui était pas compté, il s'attardait parfois à observer les fleurs des prairies intérieures. Pensant aux leçons de l'instituteur et à ce qu'il avait vu dans le livre de sa mère, il reconnaissait les églantines et les jacinthes sauvages, les violettes et les centaurées, ne sachant s'il était plus attiré par leurs formes colorées ou la sonorité de leurs noms. Mais, au milieu de sa traversée, il recherchait souvent du regard ces fleurs très communes qu'on appelle petites douves ou petites flammes. On pouvait les rencontrer partout, dans les prairies ou sur la côte, près des plages ou sur les talus. D'une vie tenace, elles fleurissaient dès le début du printemps jusqu'à l'automne. Il aimait leur présence rassurante et leur fragilité ; sur de fines tiges, elles élevaient leurs corolles jaunes vers le ciel. Le chemin passait à travers des vallons et des bois de pins ; en son milieu, il était sous la garde de deux menhirs, Jean et Jeanne, que les sorcières avaient pétrifiés mais qui cherchaient malgré tout à se rejoindre. Yann ne manquait jamais de les saluer lorsqu'il passait en allant vers la pointe de l'île.

La route qu'il préférait était celle qui menait jusqu'à l'océan. Au mois de mai, lorsque Yann arrivait en vue de la côte sur sa bicyclette, il était toujours frappé par la vision qui s'offrait à lui, le changement de paysage. Les prairies laissaient peu à peu la place à une herbe plus fine et sèche ; quelques buissons d'abord, puis des pans entiers de la côte se couvraient de fleurs d'ajonc, très abondantes à la belle saison. Sur une toile, elles auraient pu être figurées par un mélange de jaune et de vert, d'orange et d'or ; mais le peintre aurait aussi cherché à en dire le parfum, car elles avaient une odeur délicieuse et sauvage, de citron et de verveine, et Yann se disait que, s'il y avait un paradis, il devait avoir ce parfum-là, un paradis aux ailes claires sur des branches acérées. En avançant, Yann voyait apparaître l'océan qui s'élevait peu à peu dans le ciel, il posait son vélo au bord du chemin et continuait à pied. La côte était parcourue par des vents paisibles ou violents. Il marchait jusqu'à la falaise pour regarder les déchirures de la pierre qui descendaient vertigineusement jusqu'à l'eau ; Yann écoutait avec un étonnement toujours entier le mugissement du vent, les vagues et les cris des rochers battus par l'écume ; sur la côte, il voyait se dessiner des gouffres et des aiguilles sombres.

Perdu au milieu de ce paysage, Yann s'asseyait sur l'herbe rêche et inhospitalière de la lande. Devant lui s'étendait l'océan, d'innombrables lueurs y brillaient dans le flux du courant. Lorsque le soleil était haut dans le ciel et qu'il étincelait de toute sa lumière, ses yeux ne pouvaient plus tenir. Clignant des paupières, il tentait de fixer l'horizon jusqu'à être traversé d'un vacillement – à cet instant, il n'était plus sur terre, son regard d'enfant rejoignait l'horizon et les papillons qui semblaient voler sur les vagues – les fleurs-étoiles tressaillantes sur la mer et ruisselantes de sel. Il frissonnait devant cette vision, les yeux pleins de larmes, égaré parmi les herbes folles des falaises et de l'eau.

De nombreuses années plus tard, c'était un vacillement d'une semblable violence qui l'avait saisi au milieu de la boue et du plomb. Quelque chose comme un éblouissement insoutenable, un grondement sourd et sec, un craquement de tout le corps, puis la douleur et le silence. Mais déjà il refoula ce souvenir inutile, comme naturellement sa pensée revint à l'abricotier – Mai, un joli prénom, se dit-il en se perdant dans les reflets de la chevelure de la jeune fille qui soignait sa blessure.

III

𤾓𢆥𥪞𡎝𠊛些
𡨸才𡨸命窖𱺵恄饒

Trăm năm trong cõi người ta
Chữ tài chữ mệng khéo là ghét nhau

En cent ans de vie humaine, les caractères « Talent » et « Destin » prennent soin de se haïr… Ainsi commence le *Kim Vân Kiều*, l'histoire d'une jeune fille qui avait reçu du Ciel les plus nobles dons, mais son nom était inscrit sur le registre des courtisanes, *les femmes aux entrailles déchirées*. Yann en avait entendu parler dans l'une de ses conversations avec le père Portier, un prêtre qui venait à l'hôpital voir les soldats blessés. Il était jésuite et lui aussi originaire de Bretagne. Il était arrivé en Indochine une vingtaine d'années auparavant; il avait appris la langue et les usages locaux, lisant ce qu'il trouvait, observant surtout, et comme beaucoup de Français il s'était mis à aimer cette terre, un peu sans s'en apercevoir. Le père venait à Lanessan depuis le début des conflits. Il passait discuter avec les soldats, proposait les sacrements, célébrait les messes lorsqu'il y avait une fête ; il exerçait sa charge avec constance, mais aussi inquiétude, faute d'avoir trouvé le sens de tout cela. Au cours de ses visites, il apportait parfois des livres aux soldats ; secrètement, il essayait de deviner quels seraient ceux qui leur plairaient le plus. Il n'aurait pas osé l'avouer, mais il aimait ce jeu de devinettes, cette rêverie sur les êtres, s'il est vrai que chaque homme se remplit un peu des livres qu'il lit ; il s'était pris d'affection pour Yann, dès les premiers jours où il était passé le voir.

Yann était un garçon au regard clair, dix-neuf ans depuis peu lorsqu'il reçut la blessure qui l'avait conduit à Lanessan. Ses cheveux avaient eu la blondeur diaphane des enfants, mais ils ressemblaient à présent à l'herbe brûlée sur la lande. Sa peau était délicate, il avait les traits fins, le nez équilibré, le front haut et les lèvres régulières de l'homme sans méchanceté. De fait, il était capable d'un excès d'honnêteté qui agaçait ses proches, car il leur donnait un vague sentiment de culpabilité. Un jour, étant petit, il avait résolu d'aller rendre à un garçon du voisinage une poignée de billes qu'il s'était convaincu d'avoir gagnées malhonnêtement. Après beaucoup d'hésitations, il les lui avait rapportées d'un pas hâtif, craignant de renoncer en chemin ; il espérait sans doute trouver de la reconnaissance. Mais le gamin avait accueilli son geste d'un air narquois, profitant de l'aubaine et disant aux autres que Yann avait été stupide de rendre des billes que personne ne lui réclamait. Ses frères, plus âgés, en avaient conçu une telle colère qu'ils ne lui avaient plus parlé pendant des semaines – le petit dernier était un idiot, un imbécile.

Yann avait un tempérament rêveur. Lorsqu'il se mettait à une tâche, que ce fût d'aller chercher de l'eau ou de nettoyer des outils, il pouvait s'interrompre et rester en contemplation quelques minutes devant un objet quelconque ou un oiseau jusqu'à ce que les rires de son entourage le tirent de sa rêverie ; mais si on prolongeait la plaisanterie, il répliquait d'un ton si mordant qu'aucun n'eût continué à l'ennuyer pour si peu. Quand il avait terminé, on était souvent étonné de la conscience avec laquelle il avait travaillé sous des dehors absents. Vers l'âge de dix ans, sa santé s'était renforcée et il avait cherché à attirer l'attention de son père en se mettant d'une façon particulièrement opiniâtre aux divers travaux des champs. Rien ne changea dans le regard du père ; il avait attendu, et puis il avait peu à peu accepté son indifférence. Sa famille passa les années de la guerre dans les difficultés et les privations, qui durèrent longtemps après la Libération. Au début de son adolescence, il choisit d'entrer dans l'armée, comme certains hommes de l'île pour qui il avait de l'admiration. Il avait pris cette décision sans en parler aux siens ; elle s'était imposée en lui donnant l'espoir de voir autre chose, des pays et des gens inconnus ; en tout cas, il ne resterait pas toute sa vie à la ferme. Nul ne pensa à le détourner de ce dessein, ni à l'encourager du reste. Après avoir fait ses classes, il reçut un ordre de mission pour l'Indochine. Il arriva à Saigon à la fin de l'année 1952, peu de jours après ses dix-huit ans. Ce fut l'année suivante qu'il fut blessé.

Des premiers jours qui suivirent son opération, Yann ne garda que peu de souvenirs. Il les passa dans la torpeur qui suit toute intervention sérieuse, avec le soulagement d'en avoir réchappé et une intime conscience de sa fragilité ; il était vivant, mais pour combien de temps – cette douleur insupportable allait-elle durer – qu'en avait-il été pour les autres gars sur le front – lesquels avaient été tués – avaient-ils eux-mêmes causé beaucoup de pertes chez l'ennemi ? Il lui avait fallu plusieurs jours pour retrouver ses esprits et prendre conscience que la vie avait été pour lui la plus forte. Parmi les souvenirs qu'il conserva ensuite, il y avait surtout les moments passés avec le père Portier, sa voix grave et singulière où il avait reconnu l'accent des hommes de Belle-Île. Lorsqu'il avait commencé à aller mieux, le jésuite lui avait apporté un lot de livres parmi lesquels il lui proposa d'en choisir un ; il y avait plusieurs romans, un psautier et un recueil de poèmes. Yann hésita entre un roman d'aventures et le recueil, et puis finalement il prit les poèmes. C'était un mince volume de cuir marron qu'il garda tout le temps où il resta à l'hôpital.

Yann l'avait parfois à la main lorsque Mai venait pour sa visite ; il le refermait aussitôt qu'elle se trouvait là pour lui parler plus à son aise. Un jour qu'elle lui posait une question à ce sujet, il avait choisi un poème un peu au hasard et le lui avait lu. Le lendemain, elle avait apporté un cahier d'écolière sur lequel elle l'avait recopié. La succession des circonstances peut aboutir à des événements improbables ; rien ne destinait Yann et Mai à se rencontrer. Ils étaient nés en des pays si différents ; ils appartenaient à des mondes qui n'avaient rien en commun.

Il avait fallu le voyage en Indochine, beaucoup de choses inutiles et cette guerre, ce tourbillon de poussière, pour que ces deux amants perdus se retrouvent l'un devant l'autre, dans le grand dispensaire de l'hôpital Lanessan.

Étrangers tout d'abord, ils s'étaient peu à peu reconnus. Mai avait la réserve ordinaire des filles annamites. Les sœurs lui avaient proposé de venir rejoindre un groupe d'anciennes couventines qui aidaient au soin des blessés, il y avait de plus en plus à faire. Mai avait accepté avec appréhension et une joie inavouable ; il lui avait semblé passer du monde des enfants à celui des adultes, entrant enfin dans la réalité. Les premiers temps de leur rencontre avaient été remplis par la fièvre qui agitait la grande salle où se trouvaient les lits des blessés. Mais, loin de les déranger, ce mouvement incessant leur avait servi de paravent. Dans une autre situation, peut-être eût-on remarqué ce soldat et cette fille ? Au milieu de l'activité et du bruit, peu de gens firent attention à eux. Les circonstances de la guerre les avaient réunis et à présent c'était comme si elles leur donnaient un abri sous les pans de son manteau.

Dès les premiers jours, ils avaient commencé à se rechercher insensiblement. Toute la journée de Yann s'était tendue vers le moment où Mai viendrait prendre son service dans la grande salle. Son temps se passait lentement dans l'observation des activités continuelles, les évacuations, les visites, les départs. Le bruit des pas, des conversations, des plaintes donnait à ce lieu une épaisseur indéfinissable. Dans cette atmosphère fiévreuse, Mai apparaissait d'abord en fin de matinée ou dans l'après-midi, puis après aux deux moments de la journée, trouvant toujours un prétexte. Les soins étaient devenus secondaires, même si elle les prodiguait toujours avec attention. Il la laissait faire sans poser de questions, observant ses mains, la regardant défaire et refaire le bandage, nettoyer la plaie, la recouvrir de solution colorée. Elle lui proposa un jour de recourir à l'aide de la médecine orientale. Les Annamites avaient l'habitude de soigner toutes sortes de maux avec de l'huile de camphre ; c'était très efficace, il n'y avait qu'à appliquer la préparation sur la peau et gratter avec une cuillère pour retirer le vent empoisonné, *gió độc*, à l'origine du mal ; Yann accepta. Mai avait commencé à appliquer l'huile, mais, tandis qu'elle cherchait la cuillère de porcelaine, la bouteille se renversa au-dessus de la blessure et produisit au bout de quelques minutes une brûlure insupportable. Yann serra les dents et elle repartit mortifiée ; il n'avait heureusement pas une bonne mémoire, de sorte qu'il ne garda plus tard que peu de souvenirs de l'incandescente bouteille. Il resta enveloppé ce jour-là dans l'odeur du baume mentholé.

Les hommes peuvent être naïfs et peu attentifs au quotidien, surtout dans les moments fragiles de la naissance d'une passion. Il fallut un certain temps à Yann pour se rendre compte que son bandage était bien plus large que nécessaire, que la solution désinfectante était appliquée avec peu d'économie et que les visites de la jeune fille devaient être attribuées autant à la gravité de la blessure qu'il avait reçue qu'à celle qu'il avait faite dans son cœur. Il n'en prit véritablement conscience qu'en des circonstances un peu particulières.

Le service de chirurgie était sous la responsabilité du vieux professeur Audoux. Dans sa jeunesse, il avait été l'aigle de la faculté de médecine de Paris. Sa décision de partir pour l'Indochine au début des années 1930 avait été saluée comme une grande œuvre de civilisation. Mais le professeur avait vieilli, ou peut-être était-ce l'effet de la malaria voire de la constipation chronique à laquelle il était sujet. Depuis quelques années, il semblait traîner son ombre sans but en dodelinant de la tête dans les couloirs de l'hôpital. Il était toujours un brillant chirurgien, mais l'administration de Lanessan avait décidé d'alléger ses responsabilités pour lui permettre de se reposer. C'était ce professeur qui avait opéré Yann et l'opération semblait avoir été un succès. Il faisait chaque semaine une visite des soldats convalescents pour déterminer lesquels étaient suffisamment rétablis pour retourner au combat. Lorsqu'ils étaient jugés aptes, ils étaient inscrits sur la liste d'un convoi qui partait le surlendemain.

Un jour qu'il faisait cette tournée, deux mois après l'hospitalisation de Yann, il s'étonna de voir ce patient toujours alité et recouvert d'un épais bandage, quoiqu'il eut été opéré depuis longtemps déjà. Mai, qui avait jusque-là appréhendé le verdict, attendait ce moment près du lit de Yann. Elle s'avança pour dire avec l'apparence de la candeur – professeur, ce pauvre soldat souffre terriblement – il ne dit rien, mais c'est qu'il souffre en silence – la blessure est encore fraîche – il reste peut-être des morceaux de plomb, ce qui expliquerait l'hémorragie qui ne s'arrête pas – mais il ne faut pas ouvrir pour voir afin de ne pas risquer d'empirer le mal – je lui refais chaque jour un bandage bien serré, pour empêcher le sang de couler et hâter sa guérison – car on a besoin de soldats en bonne santé sur le front. Elle reprit sa respiration – je pense qu'il faut laisser faire le temps pour que la plaie cicatrise – laisser faire le temps – et le repos – pour qu'il se remette – ce pauvre soldat fait peine à voir – je l'ai vu plus d'une fois se tordre de douleur et crier seul dans son lit – c'est sûr, il n'est pas encore guéri et il souffre beaucoup. Les joues de la jeune fille s'étaient empourprées et le mensonge aurait été évident si on avait prêté la moindre attention à ses absurdes paroles. Mais le vieux professeur semblait avoir oublié la question qui l'avait arrêté devant le lit du malade. Il se tourna vers Yann pour lui demander – Mon garçon, est-ce vrai, vous souffrez ? Yann était stupéfait et, en regardant Mai, il balbutia – Oui, docteur, je souffre beaucoup. Le vieux professeur dodelina de la tête, et lui dit – Vous avez bien l'air de souffrir. Eh bien, nous allons vous garder encore un peu avec nous. Vous partirez la semaine prochaine. Et il poursuivit sa visite, traînant toujours son ombre dodelinante après lui. Dans le silence qui suivit ce moment, Yann regarda Mai en souriant.

Il ne dit rien, mais il posa ses doigts sur les siens, et malgré l'échéance annoncée de son départ, il était incroyablement heureux. Il y a beaucoup de façons de dire l'amour. Les amants peuvent contempler le clair de lune et se jeter aux pieds l'un de l'autre, une épée à la main, pour se jurer un amour éternel ; ils peuvent s'écrire des lettres pour célébrer leur esprit ou leur beauté ; mais Yann au caractère si scrupuleux n'aurait jamais imaginé s'éprendre d'une fille qui lui avouerait son amour dans un mensonge aussi éhonté. Yann avait apprivoisé Mai comme l'enfant un oiseau sur le chemin de l'école ; il s'était arrêté au bord du sentier, il avait attendu avec patience que l'oiseau s'approche assez près, puis il l'avait attrapé ; et l'animal espérait que le poing ne se refermât pas pour l'écraser. L'enfant pensait avoir fait une grande conquête, mais en réalité c'était lui qui était pris, car l'oiseau avait créé un attrait inconnu qui l'entraînait dans une errance à travers la lande. Tous deux venaient de gagner quelques jours de liberté au milieu de la guerre. Yann regardait les doigts fins de Mai qui s'étaient repliés dans sa main ; lorsqu'il leva les yeux, il vit que les siens étaient pleins de larmes et qu'elle penchait doucement la tête pour effleurer sa main d'un baiser.

IV

Dans la famille de Mai, l'autel des ancêtres était garni chaque jour d'encens et de fruits. Il y avait des seigneurs de la guerre, des poètes et des mandarins qui avaient noué des alliances impériales ; ils s'étaient battus contre les armées chinoises, puis certains avaient participé à la guerre contre les Français lors de leur conquête du pays. On racontait qu'un frère de son grand-père s'était suicidé pour ne pas être obligé de se soumettre aux vainqueurs.

Mais, après la fin de la guerre, sa famille ne s'était pas mal accommodée des changements de la société. Son père avait reçu une éducation classique complétée par une formation à la française. Il vivait dans le paradoxe de beaucoup d'Annamites. Il était bien intégré à la société coloniale, exerçant la fonction de magistrat au tribunal de Hanoi ; c'était un homme puissant, ses jugements lui donnaient pouvoir de vie ou de mort sur les gens du peuple. Cependant, il avait maintenu ses enfants dans un ordre traditionnel où l'autorité du père était absolue, comme pour nier la profondeur de la rupture opérée dans l'histoire.

Mai avait été élevée jusqu'à la mort de sa mère dans le respect de la grande famille, *Đại Gia Đình*, dont chacun devait honorer le nom. Puis l'éducation des religieuses avait pris le relais, remettant en cause cette éducation d'une façon insensible. Mai avait passé une dizaine d'années au couvent des Oiseaux, qu'on appelait aussi la Volière. Les sœurs n'étaient certes pas des révolutionnaires, mais elles avaient un esprit libéral qui se communiquait à leur contact. Mai avait appris le français, qu'elle pouvait parler presque sans accent, et cet apprentissage avait représenté pour elle un bouleversement dont elle ne put s'expliquer que plus tard la portée. Pour les Annamites, dont la langue ne possède pas de « je » personnel, il n'y eut rien de si nouveau à cette époque que d'apprendre à dire « je » dans une autre langue, de se demander si la croyance aux esprits et le culte des ancêtres n'étaient pas une simple métaphore, et de voir qu'à l'autorité du clan peut se substituer le droit des individus. Autre paradoxe, ce fut à travers la langue française que les Annamites découvrirent le goût d'une liberté inconnue, en récitant des passages de La Fontaine ou de Molière dont on oublie souvent la malicieuse subversion. En dehors de cela, la Volière restait un lieu paisible et quasi imperméable aux bouleversements du monde ; Mai y avait vécu une enfance heureuse, même si elle n'y avait jamais été aussi bien intégrée que les autres filles, n'ayant pas été baptisée.

Mai demeurait au couvent toute l'année, à l'exception des fêtes du Nouvel An et des vacances d'été. Lorsqu'elle retournait dans sa famille, elle se sentait un peu comme une invitée qu'on entoure d'attentions les premiers jours, avant de retourner à de plus sérieuses occupations. Les domestiques étaient toujours respectueux, mais ils ne s'intéressaient pas beaucoup à son service, sachant qu'elle repartirait une ou deux semaines après. Les frères de Mai ne passaient pas avec leur sœur plus de temps que les usages ne le leur permettaient. Peu à peu, elle était devenue presque une inconnue, et il s'était formé entre eux comme une barrière invisible. Mais, depuis quelques années, les vacances dans sa famille avaient pris une tournure toute différente. Son père avait installé chez lui une concubine. C'était une femme aimable, élégante et énergique. Elle n'avait pas de mauvaises intentions à l'égard de Mai, mais elle pouvait difficilement se réjouir de son prochain retour chez son père.

Mai ne manquait pas de lui rappeler que l'homme avec qui elle vivait avait été marié et que son mariage avait été heureux. Cette simple idée avait fini par accroître chaque jour son aigreur de femme. Dès le début de leur relation, le magistrat lui avait dit qu'il ne l'épouserait pas et qu'il ne faudrait pas lui en parler, sous peine de mettre fin à leur vie commune. Dans les premiers temps, elle avait espéré qu'il changerait d'avis ; mais, faisant l'expérience de l'inflexibilité de sa parole, elle avait dû en prendre son parti. Cette situation avait fait naître un sentiment d'humiliation et de rancœur qu'elle reporta sur la fille de la première femme morte et, semblait-il, toujours aimée. Bien avant le retour de Mai chez son père, cette concubine, qu'on appelait Cô Lan, commença à chercher une manière de l'en faire repartir au plus tôt. Elle trouva le meilleur des moyens ; ainsi, dès le lendemain du retour de Mai chez elle, Cô Lan lui avait dit comme pour lui faire part d'une bonne nouvelle – ma fille, il est temps de te marier.

Du passé de Cô Lan, on savait peu de chose, elle conservait une grande discrétion à ce sujet. Elle avait été mariée assez jeune à un riche commerçant. Son mari était parti en voyage pour ses affaires et il avait disparu en mer de Chine dans le naufrage de son bateau. Lorsque son retour n'avait plus semblé possible, la veuve avait observé le deuil traditionnel de trois ans et trois mois. Puis, comme il n'avait pas d'autre héritier, Cô Lan s'était retrouvée à la tête d'une importante fortune. Elle avait entrepris de poursuivre ses activités, mais elle avait été volée et avait perdu beaucoup d'argent. Elle vivait dans une demeure bourgeoise de Hanoi jusqu'à sa rencontre avec le père de Mai.

De la vie passée avec son mari, Cô Lan conservait quelques relations dont l'une avait pris avec le temps une grande importance. Il s'agissait d'un ami de son mari, nommé Ushi Lei. C'était un Chinois dont les parents s'étaient installés au Tonkin dans leur jeunesse. Après ses études, Ushi Lei avait commencé une carrière qui s'était révélée très lucrative dans le commerce du thé. Les mauvaises langues disaient qu'il y avait eu plus qu'une simple relation d'amitié entre Cô Lan et Ushi Lei, après la mort du mari ; on disait aussi que c'était grâce à lui que Cô Lan avait évité la banqueroute totale de ses affaires. Néanmoins, s'il y avait vraiment eu quelque chose entre eux, Ushi Lei n'avait pas voulu s'engager, car il se devait à sa famille et à ses affaires. Il avait depuis fait fortune, mais chacun d'eux avait pris des chemins si différents qu'il ne leur était plus possible de se retrouver. Cela n'empêchait pas monsieur Lei de venir rendre visite à sa vieille amie, une ou deux fois l'an, avec de généreux présents.

Ushi Lei était un homme de taille moyenne et de calme prestance. Il devait ses succès à la patience qu'il savait montrer en affaires et à ses talents d'entrepreneur. Il avait acquis avec le temps de nombreux terrains qu'il laissait en fermage à des paysans. Il en tirait un revenu considérable, étant rémunéré à la fois par le loyer et une part des récoltes. Malgré une apparente placidité, il pouvait faire preuve d'une détermination de fer lorsqu'il s'agissait de négocier le prix d'un lopin ou un nouveau contrat de fermage. On disait qu'il n'hésitait pas à faire appel à des hommes de main pour donner une leçon au fermier qui ne voulait pas payer, ce qui dissuadait les autres de se jouer de lui. Monsieur Lei ne s'enorgueillissait nullement de ce type d'agissements ; en société, il en aurait nié l'existence, mais il n'avait pas trouvé d'autre moyen de mener sans encombre ses activités. Certains lui trouvaient un caractère bien trempé, d'autres voyaient en lui un homme sans scrupules ; pour sa part, il essayait seulement de ne pas interroger sa conscience à ce sujet. Tout cela s'expliquait par ses oreilles sans lobes, des oreilles de souris qui signalent les personnes brillantes, mais fausses et malignes.

Monsieur Lei ne s'était jamais marié ; il n'en avait pas eu le temps. Jeune homme, il s'était perdu dans les obligations d'une vie laborieuse ; plus âgé, il avait vu s'ajouter au travail quotidien les exigences de son nouveau statut social. Il s'était fait construire une somptueuse villa sur un terrain boisé près de Hanoi. Il participa au dessin des plans de la maison ; il en surveilla le chantier depuis le terrassement jusqu'à l'aménagement des pièces ; elle devait être magnifique afin de lui permettre de recevoir la meilleure société. La construction fut longue, interrompue par les intempéries et diverses difficultés d'approvisionnement. Enfin, elle fut inaugurée l'hiver qui précéda le retour de Mai du couvent. Le nouveau maître de maison donna une réception à laquelle il convia les principaux notables de la région ; il fit servir un banquet mémorable, animé par un orchestre à la mode. Ce fut au cours de cette réception qu'Ushi fit la connaissance du père de Mai. Indépendamment de la personne de Cô Lan, une estime réciproque naquit entre les deux hommes. Le magistrat admirait la réussite de Lei, parti de peu de choses et arrivé à une situation aussi enviable. Lei respectait le statut des lettrés et le pouvoir que leur donnaient leurs fonctions ; en devenant l'ami du magistrat, il avait l'impression de parvenir au sommet de la société.

La fortune de monsieur Lei, la construction de cette villa, la multiplication de ses relations, tout cela souligna logiquement le fait qu'il devait se marier. Il est difficile de savoir si l'idée germa d'abord dans leur esprit ou si la fréquentation de Cô Lan les inspira à ce sujet, mais, lorsqu'on évoqua un mariage entre Ushi Lei et Mai, cette union sembla être plus qu'une excellente alliance, elle parut naturelle à son père et au fiancé. On consulta les astres qui rendirent des avis favorables. Ushi Lei avait six ans de moins que le père de Mai, qui était lui-même du signe du Buffle. Lei était né sous le signe de la Chèvre et Mai du Rat. On en conclut que leurs destinées se rencontraient sous de bons auspices et pouvaient aboutir à une nombreuse descendance. Il faut dire que les prédictions des devins allaient peu souvent à l'encontre des projets des riches propriétaires. Ainsi, lorsqu'il fut établi que le ciel incitait lui aussi à la réalisation de ce mariage, les deux hommes décidèrent qu'il aurait lieu dans l'année qui suivrait le retour de Mai dans sa famille.

Mai entendit naturellement parler de ce projet d'union, mais elle ne voulut pas y prêter beaucoup d'attention. Le mariage était l'horizon indépassable de toutes les filles de son milieu, qu'il soit envisagé dans l'angoisse ou comme une promesse de bonheur par les plus naïves. Néanmoins, Mai préférait ne pas y penser, et même faire disparaître cette perspective, car rien ne lui semblait plus vague que le mariage, et il y avait sans doute aussi là un inconscient désir d'aveuglement… Son père dut partir pour un voyage en province durant la fin de l'année 1953, de sorte qu'il n'en fut plus question pendant quelques mois. C'est à son retour à Hanoi que les deux hommes décidèrent qu'il était temps de conclure les fiançailles. Les hasards de la vie bousculent souvent les plans les mieux ordonnés. Ce voyage suivit de peu la rencontre de Mai avec Yann. Mai, qui n'avait conçu ni joie ni peine de la préparation de cette union avec Ushi Lei, n'était plus dans les mêmes dispositions. À présent, il n'était plus question pour elle de l'accepter.

S'il est vrai que les enfants se construisent à travers l'image de leurs aînés, Mai avait dans celle de son père et de sa mère une bonne raison de s'émanciper. Le magistrat Lê Đức Vinh avait été en son temps un jeune homme indépendant et moderne. Ce n'était qu'avec l'âge qu'il devint le père de famille rigide que ses enfants connaissaient ; il était même étonnant de voir à quel point les jeunes gens libéraux pouvaient devenir les plus sévères gardiens des traditions. Le juge Lê avait mené des études brillantes, il avait choisi la carrière de magistrat, alors qu'on le destinait plutôt à la gestion des biens familiaux sans trop pousser son instruction. Il s'était illustré par des jugements qui avaient été considérés de la plus dernière impertinence pour un simple étudiant. Il n'avait, de plus, accepté de se marier qu'à certaines conditions ; l'histoire avait fait grand bruit à l'époque.

La famille Lê avait pour dessein de s'allier avec la famille Hoàng, qui possédait des mines d'or près de Huế. Après que Vinh eut terminé ses études, son père décida qu'il devait épouser l'une de leurs trois filles arrivées à l'âge nubile. Le jeune homme ne refusa pas l'union, c'était impossible. Mais il demanda à voir les sœurs afin de pouvoir choisir celle qu'il épouserait. On n'avait jamais entendu une telle requête, qui résonna comme une révolution. En la formulant, le jeune Vinh savait qu'il avait peu de chances d'obtenir satisfaction ; cependant son père, qui lui avait toujours témoigné de l'indulgence, ne lui refusa pas de consulter le père des jeunes filles. Celui-ci donna son accord. Le fiancé pourrait choisir entre ses filles, mais à la seule condition qu'il ne vît pas leur visage, qui resterait dissimulé jusqu'à ce que la future épouse fût désignée. Les deux familles organisèrent ainsi la rencontre, qui devait avoir lieu quelques jours avant les fiançailles.

Une délégation de la famille Lê devait se rendre à Huế pour célébrer l'union. Vinh la précéda de quelques jours ; il fit le voyage seul, à cheval, pendant que son père menait le cortège nuptial avec les présents des fiançailles. La route fut longue ; il traversa des rizières et des collines, des villages perdus dans la brume. Après une semaine, Vinh arriva à la propriété des Hoàng. On l'accueillit, on l'installa dans une dépendance de la maison. Puis, le lendemain, on l'aida à revêtir la tunique et la coiffe bleues des fiancés. Il fut conduit dans le jardin, à une table que l'on avait placée sous un aréquier ; c'était là qu'il verrait les jeunes filles qui se présenteraient.

Le père de Mai avait toujours gardé un souvenir précis et vivant de cette matinée. Sur la table qui était en bois orné de nacre, on voyait un paysage de montagne parsemé de temples et de petits personnages portant des vases. Une servante y avait disposé trois tasses de porcelaine et une théière bleu pâle. Il faisait chaud, c'était l'été ; un vent frais soufflait dans le jardin, et on entendait le gazouillement d'un nid de loriots. Vinh essaya de fixer son attention sur leur chant, en essayant de se convaincre qu'il n'y avait rien à craindre – mais, alors qu'il était assis à cette table, le jeune homme fut peu à peu pénétré de l'absurdité de la situation. Comment allait-il choisir sa fiancée parmi ces filles sans visage ? Il se sentit pris au piège de son propre orgueil. Les jeunes filles se tenaient déjà prêtes, et, après que le fiancé se fut installé, on les appela l'une après l'autre, Phượng, Thu et Tuyết, de l'aînée à la plus jeune. Chacune portait une tunique de soie blanche et un chapeau en bambou attaché avec un voile ; on leur avait interdit de lever la tête de façon à ce que leur visage restât entièrement dissimulé, selon ce qui avait été convenu. On appela Phượng et le fiancé vit s'avancer lentement une jeune fille mince, de petite taille. Arrivée devant la table, elle lui servit du thé avant de retourner en silence dans la maison. Puis, la deuxième sœur, Thu, vint lui verser une tasse de thé selon le même rituel ; rien ne semblait distinguer l'une de l'autre, même silhouette et même démarche, semblable apparition et semblable effacement ; il ne savait comment faire un choix, sauf à s'en remettre au hasard. Vint alors le tour de Tuyết, la plus jeune des sœurs. Vinh vit s'avancer la jeune fille jusque devant la table ; elle fit le geste de servir le thé, et, contrairement à l'ordre qui avait été donné, elle leva doucement les yeux pour le regarder. Elle ne dit pas un mot, mais son regard triste et pénétrant plongea dans celui du jeune homme comme un sabre clair. L'instant ne dura qu'une seconde, elle repartit aussi silencieusement qu'elle était venue vers la maison.

Vinh avait été bouleversé par le regard de la troisième jeune fille ; il n'hésita pas et choisit celle qui avait eu l'audace de le regarder, à la fois pour ce qu'il avait cru lire dans ses yeux et pour la grâce de son visage. Telle était l'histoire que la mère de Mai lui avait racontée. Après cet après-midi, les deux jeunes gens attendirent séparés l'un de l'autre le cortège nuptial. Lorsqu'il fut arrivé, on célébra les fiançailles. Le père de Vinh avait apporté de magnifiques présents pour honorer l'alliance. Enfin, la jeune Tuyết fit la route du retour de Huế à Hanoi, accompagnée de quelques membres de sa famille, pour la fête du mariage. L'union des parents de Mai fut heureuse ; il n'y eut pas de deuxième ou de troisième femme auprès du mari, quoiqu'il fût riche. Même après la mort de son épouse, son père ne se remaria pas. Il est peu de dire que cette histoire avait frappé l'imagination de Mai. À présent qu'elle était devenue adulte, rien ne pourrait l'empêcher de disposer d'elle-même et de rechercher le bonheur.

V

Il y a différentes manières de dire non, de prononcer ces trois lettres en miroir au son précis et définitif, ce *không* qui associe la dureté de la palatale à la rondeur de l'ô. Il y a des non indécis qui se perdent dans le silence et se transforment quelquefois en oui ; et il y a des non qui changent le cours des choses et détruisent parfois tout sur leur passage. Mai n'était pas de ces gens qui ne savent dire non. Elle se disait à elle-même que si elle en avait le courage, et elle aurait le courage de refuser le mariage avec Ushi Lei, il n'y aurait pas de mérite à cela, il n'y aurait qu'une simple volonté de vivre. Car, dans sa situation, refuser ce mariage était pour elle une manière de dire non à la nuit ; et si le oui et le non étaient les deux visages d'une même réalité, il y aurait dans le passage de l'un à l'autre tout le champ des possibles.

Il avait été décidé que monsieur Lei ferait la connaissance de sa promise le jour du Nouvel An. On entrait sous le signe du Cheval, c'était un jour faste pour une première rencontre. Comme chaque année, le père de Mai donnait une fête à laquelle toute la famille était conviée. En cette occasion, la personne la plus honorée était un oncle du juge Lê. Ce vieil homme aux gestes délicats était le dernier représentant d'une époque de grandeur disparue. C'était lui qui, de ses mains tremblantes de vieillard, allumait les bâtons d'encens destinés à honorer les ancêtres. Après avoir secoué l'encens entre ses paumes jointes, il plantait les bâtons dans la corbeille de fruits déposée en offrande sur l'autel. Il restait en silence devant les portraits de ses aïeux ; puis il donnait à toute la famille le signal d'accomplir les rites du Têt. Parmi les invités, il y avait des oncles et des tantes à divers degrés d'alliance accompagnés de leurs enfants, des cousins proches et éloignés. Mai ne les voyait qu'une fois par an, de sorte qu'il lui arrivait de mélanger les visages et les noms. Plus jeune, elle s'était retrouvée dans des situations embarrassantes, confondant les rangs et les branches, aussi s'était-elle résolue à saluer les plus vieilles personnes des titres *ông* et *bà*, et à appeler toutes les autres grandes personnes *cô* et *chú*.

La journée de fête du Nouvel An était toujours minutieusement préparée. On disposait les plats sur les tables au centre desquelles on posait des vases de fleurs de prunier et d'abricotier. Cô Lan, qui était du Sud, avait introduit l'usage de disposer quatre sortes de fruits dans les corbeilles. Car lorsqu'on prononçait les mots pomme-cannelle, noix de coco, papaye et mangue, *cầu dừa đủ xài*, on pouvait entendre « prions d'avoir assez pour vivre » ; si la papaye était remplacée par l'ananas, on entendait, *cầu dừa dư xài*, « prions pour avoir plus qu'il ne faut ». Les fleurs et les fruits exprimaient la dévotion des hommes.

Lors de ces fêtes, les invités formaient une nuée d'abeilles qui venait visiter la maison le temps d'une journée. Le rythme de leurs allées et venues, le vacarme des conversations, les jeux et les cris des bambins sous la surveillance des nourrices, tout semblait manifester un grand désordre. Mais dans les faits, les relations entre ces personnes et leurs actions réciproques étaient réglées comme sur une portée musicale. Toute la vie s'organisait autour des aînés, puis suivaient les frères et sœurs de rang inférieur, puis les cousins des branches éloignées, masculines et féminines, enfin seulement venaient les enfants, c'est-à-dire les jeunes gens non mariés et les plus petits. Les domestiques servaient à table et mangeaient une partie des restes du repas, toujours très abondant, parce qu'on devait y puiser des mets à offrir aux invités lorsqu'ils partaient.

La célébration du Tết fut de nouveau cette année-là une réussite ; des plats délicieux servis à profusion et, des aînés aux plus jeunes, chacun avait été honoré lors de la fête. Tout le monde avait remarqué la présence de cet étranger, monsieur Lei, un riche Chinois, ami du maître de maison. On l'avait trouvé fort distingué pour un commerçant chinois, mais il était vrai que sa famille était installée ici depuis longtemps ; il avait été placé près du doyen de l'assemblée. Les femmes chuchotaient qu'il n'y avait qu'une explication possible à sa présence, c'est qu'un mariage entre lui et la fille de la maison devait se préparer, il y avait entre eux une très grande différence d'âge, mais cela n'avait pas d'importance. De fait, elles ne se trompaient pas. Une tante avait malicieusement demandé au magistrat s'il n'y avait pas des noces à prévoir parmi ses enfants. Il n'avait pas dit non, ce qui valait une annonce officielle, et la nouvelle s'était vite propagée.

Le déjeuner se déroula dans un brouhaha de paroles. Il avait été décidé qu'Ushi Lei ne parlerait à sa future fiancée qu'après le départ des autres invités. Mis à part les salutations d'usage, ils ne s'étaient pas vus. Au début du repas, Mai avait prétexté une migraine pour se retirer dans sa chambre. Elle y resta toute la journée dans une angoisse qui était semblable à un petit point aigu s'enfonçant peu à peu comme un poignard. Elle n'était plus elle-même ; ses mains lui semblaient fermes, mais elle les sentait trembler de l'intérieur. Son cœur battait, elle ne comprenait rien au livre qu'elle avait ouvert, elle ne pouvait penser à autre chose qu'à ce qu'elle dirait à son père et à Ushi Lei. Le magistrat avait refusé qu'elle allât à l'hôpital ce matin-là. Il avait même été agacé qu'elle ait eu cette idée – on ne va pas dans un hôpital le jour du Têt, à moins de vouloir s'attirer la maladie ou la mort. Cependant, Mai était d'autant plus contrariée de n'avoir pu y aller qu'elle avait dit à Yann qu'elle viendrait et espérait influer sur les astres en passant avec lui le premier de l'An. Il ne lui restait plus que quelques jours, il ne fallait pas en perdre une seconde.

Après le repas, les invités s'en allèrent les uns après les autres. Mai n'eut pas la force de reparaître. Elle resta à écouter le bruit de voix des invités ; elles s'étaient élevées comme une protection, avant de s'atténuer, puis de disparaître. Après un long après-midi d'agitation, la maison retrouvait le calme ; il n'y avait plus rien entre elle et l'entrevue redoutée. La porte de sa chambre s'ouvrit et une vieille servante lui dit que son père la demandait. Mai se leva du lit où elle était restée assise, et elle se dirigea vers le salon. Elle s'y était préparée, elle avait répété ces mots comme en rêve des dizaines de fois peut-être depuis le matin. La fièvre qui l'étreignait n'y pourrait rien, elle avait appris ces paroles très simples comme elle apprenait les fables ou les poèmes que donnaient les sœurs à réciter. Pour certaines filles, la récitation était un véritable tourment, mais pas pour elle, car elle aimait à dire des vers qui allaient bien ensemble et modeler leur matière dans sa tête.

Lorsqu'elle entra dans la pièce, elle vit que son père était assis sur le sofa à côté de Cô Lan. Ushi Lei était installé sur un fauteuil devant eux. Ils parlaient avec entrain, sans prêter attention à Mai ; elle resta debout quelques minutes avant qu'ils ne semblent remarquer sa présence ; puis leurs visages se tournèrent vers elle et, ainsi qu'il en avait été convenu, son père lui dit qu'elle aurait l'honneur de devenir la première épouse de monsieur Lei. Les fiançailles auraient lieu dans les semaines à venir, puis le mariage serait célébré au cours de l'été. Les mots s'accumulaient sans laisser aucune prise ; comme lorsqu'un oiseau malade vole au-dessus de votre maison, on espère toujours qu'il porte son mauvais augure ailleurs, mais c'est chez vous qu'il vient se poser. Ils continuèrent à dire des choses qu'elle ne comprit pas. Puis, les paroles laissèrent place au silence ; le visage pâle de Mai, son air défait, on ne demandait pas l'avis des enfants, encore moins des filles, mais on attendait du moins de leur part un consentement.

Face au regard étonné de son père, peu à peu gagné par la colère, Mai dit qu'il ne fallait pas voir d'insolence à cela – son père devait la comprendre et maman aurait sans doute compris – maman aurait été d'accord avec elle – elle ne pouvait épouser Ushi Lei pour des raisons inébranlables – elle n'était plus une enfant – elle avait une raison et demandait à disposer d'elle-même – comme papa lorsqu'il avait demandé à voir maman – comme maman lorsqu'elle avait posé les yeux sur lui – il pouvait sans doute comprendre – il n'aurait pas oublié ce matin-là, le paysage avec les personnages de nacre et le chant des loriots, sous l'aréquier – qu'elle ne pouvait épouser monsieur Lei car toute sa personne s'y refusait – et qu'il y aurait de nombreux arguments contre cela et qu'elle les dirait si on voulait les entendre – elle ne pouvait épouser Ushi Lei qui avait presque l'âge de son père et qu'elle n'avait jamais vu – qu'elle ne pouvait aimer même s'il ne fallait pas voir d'injure à cela – car qui pourrait aimer quelqu'un qu'il n'a jamais vu – non – il ne fallait pas que son père laisse faire cela – et que lui-même devrait en convenir – peut-être que monsieur Lei non plus, il ne l'aimait pas et ne voulait pas faire son malheur – il la comprendrait sans doute – avec toute sa fortune et sa grande villa, il pouvait épouser n'importe quelle femme – une femme bien plus belle et accomplie que Mai qui ne savait rien faire – les sœurs le lui disaient – qu'elle ne savait pas faire grand-chose – peut-être que ce monsieur Lei lui-même n'avait accepté ce mariage que pour faire plaisir à son père – son père qui ne voulait certainement pas autre chose que le bonheur de sa fille – et qu'il suffirait qu'il entende qu'elle ne voulait pas, pour que tout s'arrête là et que monsieur Lei retourne tranquillement à sa vie et qu'il trouve une autre femme – et il en trouverait une autre très facilement – enfin ce mariage ne pouvait avoir lieu – maman n'aurait pas voulu – que papa se rappelle seulement le matin où il l'avait vue pour la première fois…

Mai ne put terminer la dernière phrase. Son père s'était levé, et il la frappa avec la canne dont il s'aidait pour marcher ; le coup et la surprise la firent basculer sur le sol. Il était courant que les pères de famille frappent leurs enfants, surtout les garçons, mais les filles étaient à peu près épargnées. Le geste du juge Lê s'expliquait par l'insolence de Mai, le refus du mariage prévu, mais plus encore, dans des profondeurs inconscientes, par l'évocation de sa jeunesse. Il avait gardé dans le secret de sa mémoire le souvenir de cette matinée fraîche où il avait vu sa femme pour la première fois. Personne n'avait évoqué cet épisode depuis sa mort ; il ne savait pas qu'elle l'avait raconté à sa fille et il pensait être le seul à pouvoir se rappeler ce moment – ce parfum du passé, il le croyait à lui seul, et ne supporta pas de le voir répandu devant des étrangers – devant la femme avec qui il couchait, et devant un homme qui devait entrer comme un fils dans sa maison.

Une colère incontrôlée, à la mesure de la douleur de son deuil inachevé, l'avait saisi. Ni Cô Lan ni Ushi Lei ne dirent un mot pour l'apaiser. Était-ce de l'indifférence ou des sentiments plus inavouables ? Mais aucun d'eux n'intervint ce jour-là lorsque le magistrat renvoya sa fille et lui interdit de revenir. Il n'avait plus de tendresse pour cette enfant qui était devenue comme une étrangère à la mort de sa femme. Elle lui avait manqué de respect devant les autres et ne méritait pas l'honneur qu'il lui avait fait – qu'elle aille au diable. Elle n'avait qu'à prendre ce qui lui revenait de sa mère – il donnerait aux serviteurs l'ordre de préparer sa malle avec les bijoux et l'or qu'elle lui destinait. En disant ces mots, il entendit peut-être au fond de lui la voix du remords, mais si imperceptiblement que celle-ci ne put transpercer – il ne voulait plus la voir. Mai resta un moment sans rien dire entre les larmes et un rire incontrôlable. Sa mère aurait persuadé son mari de pardonner à sa fille, amère ironie, Mai croyait la voir, mais elle était morte depuis longtemps. Ne plus le voir à jamais, était-ce si terrible ? Mai avait senti les liens avec son père se distendre d'année en année, cela l'étonnait à peine qu'ils se soient ainsi rompus en ce jour.

Le juge avait parlé et elle savait qu'il n'y avait pas lieu de chercher à revenir en arrière. Elle avait la sensation d'avoir vu la fin de quelque chose ; elle était plus calme à présent, son angoisse s'était transformée en un autre sentiment. Sans un regard pour les deux étrangers, Mai dit adieu à son père qui ne la rappela pas. D'un pas incertain, elle se dirigea vers sa chambre. Selon l'ordre du juge, un domestique l'aida à rassembler ses affaires ; un autre prépara sa malle. Lorsqu'on la lui apporta, elle n'y jeta pas un regard. En si peu de temps tout était donc terminé, c'était ça la triste conclusion de cette journée d'angoisse. Elle se trouva devant la porte de la maison de sa famille sans avoir revu personne ; ses affaires furent chargées sur une voiture à cheval. Après quelques instants d'hésitation, elle dit au conducteur de la ramener au couvent, elle ne connaissait nul autre endroit où aller.

Sur les chemins
de menthe fraîche –
est-ce de la lumière tremblante

Les pierres chantaient
sur l'eau
– une hirondelle nue

Puisses-tu
ne voir tomber
que de la neige folle

Les chèvrefeuilles de la nuit
et le vent ardent
sous les étoiles perdu e s

VI

En quittant la maison familiale, Mai laissait derrière elle une vie paisible et les habitudes qu'elle avait commencé à prendre depuis son retour du couvent. Son père refusait désormais de la voir ; que feraient ses frères, elle ne pouvait le savoir, mais elle n'en attendait rien, et les autres n'avaient pas d'importance. Elle savait qu'elle deviendrait bientôt la fable du voisinage. On raconterait aux fillettes désobéissantes qu'elles finiraient comme Mai si elles n'écoutaient pas ; Mai, cette enfant gâtée qui par pure vanité avait refusé le mari que son père lui avait donné, mais le Ciel l'avait punie puisqu'elle avait été renvoyée de chez elle et n'avait plus jamais pu trouver de mari. Les gens qui aimaient raconter des histoires ajouteraient avec le temps des détails effrayants : qu'elle était revenue supplier son ancien fiancé, mais qu'il ne voulait plus la revoir et que les dieux avaient ajouté à sa punition une maladie qui l'avait défigurée, et sans doute on changerait son nom pour celui d'une fleur honteuse, une qui s'ouvre la nuit et se flétrit en un jour ; voilà ce qui arriverait.

Mai se rappelait les événements de la journée ; il était singulier qu'elle ne regrettât rien, elle n'avait pas commis de faute, elle n'en doutait pas, elle aimait Yann ; elle osait à peine le penser, c'était extraordinaire, mais tout aussi naturel, comme une évidence, elle était souvent traversée par le souvenir de son visage et de sa voix ; refuser le mariage avec Ushi Lei, c'était, c'était – elle n'arrivait pas à trouver un autre terme que celui-là, c'était naturel, et s'il fallait renoncer à sa vie d'avant, ce n'était pas ça qui était difficile. La voiture s'arrêta devant la grande bâtisse du couvent. Mai descendit et fixa un moment les marches qui menaient à l'entrée ; les sœurs n'avaient pas encore fermé la porte. Elle demanda au conducteur de l'attendre et se glissa à l'intérieur. Mai reconnut l'odeur singulière du lieu, une odeur de bois tendre et rugueux, c'était l'odeur claire de l'escalier qui menait dans le hall, celle du café au lait du matin et des après-midi d'étude. Les sœurs avaient dîné et se reposaient. Mai se présenta à la mère Bénédicte qui était la supérieure du couvent ; elle connaissait bien Mai pour l'avoir eue dans sa classe de français. Après l'avoir écoutée, elle accepta de l'héberger pour la nuit ; on verrait le lendemain ce qu'il conviendrait de faire, et elle lui fit préparer une chambre à côté des religieuses.

Les sœurs étaient logées à l'opposé du dortoir des pensionnaires. Lorsque Mai entra dans sa chambre, elle découvrit une petite pièce, un lit et une armoire, une cuvette d'eau ; on lui avait donné une chandelle et des draps pour la nuit ; au pied du lit, il y avait une couverture. En refermant la porte derrière elle, Mai ressentit la douceur du silence. La fenêtre avait vue sur le parc, les arbres et les jeux de son enfance ; demain elle expliquerait son départ de chez son père et elle demanderait aux sœurs de la laisser rester quelque temps. Elle commencerait des études, d'infirmière ou autre chose ; de plus en plus de filles s'inscrivaient à l'université. Ensuite elle travaillerait, à l'hôpital peut-être ; n'avoir plus de comptes à rendre à personne. Yann reviendrait la retrouver plus tard, et ils commenceraient une nouvelle vie ; c'était sûrement possible, oublier les autres choses, tout ce qui serait trop difficile. Elle s'endormit en murmurant des paroles inaudibles jusqu'à ce qu'elles se perdent dans la nuit.

Le lendemain, Mai se réveilla au bruit du pas des sœurs qui se rendaient à l'office de six heures et demie. Il n'était pas obligatoire pour les couventines ; celles qui voulaient y assister accrochaient un chandail sur leur moustiquaire pour que les sœurs les préviennent en passant. Lorsqu'elles se préparaient, on entendait toujours des chuchotements qui réveillaient les autres. Reprenant ses habitudes, Mai se leva rapidement ; elle s'habilla et se rendit à la chapelle ; elle se glissa dans le fond. C'était dans les dernières rangées qu'elle s'asseyait toujours par une sorte de discrétion – ne pas déranger les autres. Ce matin-là, elle n'eut pas beaucoup d'attention pour suivre, prier, était-ce trouver une sorte d'inconscience ou fallait-il plus de concentration ? Elle n'en avait jamais été capable, ses pensées erraient toujours ici et là. Elle entendit la lecture d'un texte, mais elle n'aurait pu dire ensuite de quoi il avait été question ; elle regardait la lumière qui traversait les vitraux, elle se sentait toujours coupable de ne pas mieux écouter, pourquoi ne pouvait-elle fixer son attention ? Mais c'était comme ça. Puis vint le moment de la communion, elle regarda les autres ; la messe était terminée, elle ne durait jamais longtemps le matin.

Mai suivit alors les religieuses pour le petit déjeuner. Elle avait faim et retrouva avec plaisir le café au lait qu'elle avait bu chaque jour pendant des années. Il y avait aussi le beurre que les sœurs mélangeaient avec de l'eau ; cela lui donnait un goût insipide, et à la fin elle ne pouvait plus le supporter. Le réfectoire résonnait des voix des couventines, les amies de Mai étaient toutes parties, seuls les visages familiers des sœurs donnaient l'impression que rien n'avait changé. Les filles partirent rapidement en classe ; leurs discussions se perdirent peu à peu dans les couloirs et le silence revint dans la grande maison.

Une religieuse dit alors à Mai que la mère Bénédicte l'attendait dans son bureau. Elle l'amena jusqu'à la porte et la fit entrer dans la grande pièce claire ; de l'intérieur on voyait un palmier qui effleurait les carreaux de la fenêtre. La mère supérieure était à sa table de travail devant un cahier de notes. Elle fit signe à Mai de s'asseoir et lui demanda d'expliquer sa venue. Elle écouta son récit sans l'interrompre. Mai raconta le projet de mariage et les événements de la veille ; elle lui parla aussi de ce qu'elle voulait faire dans l'avenir, évitant les sujets qui poseraient trop de difficultés. Lorsque Mai eut terminé, elle attendit un moment la réponse de la religieuse. La mère Bénédicte ne prenait pas ses décisions à la légère ; elle n'avait aucun penchant pour l'indulgence et c'était de toute façon incompatible avec sa fonction. Elle savait que les chefs de famille annamites étaient maîtres chez eux et qu'il était inutile d'essayer d'intervenir. Si le juge Lê avait publiquement annulé le mariage de sa fille et l'avait chassée de chez lui, il ne pouvait pas revenir sur sa décision sans perdre la face. Il serait difficile de renvoyer Mai du couvent. Hors de sa famille, une fille n'avait pas d'existence, elle n'aurait nulle part où aller ; si la supérieure refusait de l'héberger, elle l'exposerait à l'humiliation publique, et peut-être y avait-il encore secrètement en elle quelque chose de la femme qui dans cette situation s'opposait au vieux parti des hommes.

Que la jeune fille ait eu tort ou raison, c'était autre chose. L'expérience de la mère lui disait qu'elle ne saurait pas les détails, mais n'importe, elle avait confiance en Mai et lui donna son accord. Elle pourrait rester jusqu'à ce qu'elle trouve le moyen de vivre par elle-même ou de renouer avec sa famille. On réglerait plus tard les conditions de son séjour, ce n'était pas pressé. Mai remercia la mère ; en ressortant de son bureau, elle sentit l'odeur qui l'avait frappée la veille, ce n'était plus seulement celle de l'enfance, mais celle de l'insaisissable. Elle regagna sa chambre. Machinalement elle mit de l'ordre dans ses affaires, les vêtements qu'elle avait rassemblés à la hâte avant son départ, quelques objets qu'elle plaça sur une étagère. Elle vit aussi le coffret de bois qui contenait les bijoux de sa mère, elle le considéra quelques minutes et le posa dans le fond de l'armoire. Elle l'ouvrirait plus tard ; là, il était en sécurité. Elle disposa ensuite le reste des affaires dans le meuble, puis elle s'assit un moment sur le lit.

Tant de choses avaient changé ; il lui revint à l'esprit des images du jour passé, mais insensiblement ces pensées la quittèrent alors que son regard se fixait sur les arbres du jardin, il était presque dix heures, ils étendaient leur ombre fraîche sur la pelouse. Le ciel était bleu pâle avec quelques nuages, il y avait peu de vent, en partant tout de suite, elle serait à l'hôpital avant l'heure du déjeuner.

VII

Yann avait attendu Mai toute la journée précédente sans savoir ce qui avait pu l'empêcher de venir, il en fut assez contrarié, elle était venue tous les jours pendant presque deux mois, et il ne pensait pas qu'elle manquerait ce rendez-vous. En le quittant la veille, elle lui avait pourtant dit « à demain » et elle avait promis qu'elle viendrait passer une ou deux heures avec lui. Les Annamites croyaient que le premier de l'An déterminait l'année à venir, alors pourquoi n'avait-elle pas tenu parole ? Yann avait attendu ; il avait espéré la voir dans la matinée, puis l'après-midi, un après-midi qui avait été interminable, et elle n'était pas venue. Le soir, il n'avait pas voulu se joindre au pot qui avait été organisé pour le Nouvel An. Il se sentait fatigué et nauséeux, il n'aurait de toute façon rien mangé ; on avait servi du vin, mais il ne s'était pas levé pour ça non plus, aucun plaisir à voir les autres. Était-ce d'elle-même qu'elle avait décidé de ne pas venir, ou est-ce que quelque chose l'en avait empêchée ?

Il avait essayé de se représenter la journée qu'elle avait passée ; il y avait eu une fête de famille, c'était sans doute ce qui l'avait retenue. Ce genre de repas, ça dure plus longtemps qu'on ne croit, elle aurait même dû le prévoir, il n'y avait là rien d'étonnant. Mais si elle pouvait s'en douter, pourquoi avait-elle promis de venir, si ça ne devait pas être possible? C'était un peu léger – ou devait-il penser qu'en fin de compte elle n'avait plus eu envie de venir; c'était peut-être ça, elle aura été vaincue par un mouvement de paresse ou même une sorte de caprice – pas envie – Yann eut mal au cœur à cette pensée. Il ne put en rester là et retenir son imagination; il essaya d'imaginer d'autres possibilités, car peut-être que ce n'était pas du tout ce qu'il pensait. Elle voulait vraiment venir, mais elle avait été malade, c'était bien possible, il aurait préféré cela, ce pouvait n'être rien du tout, une fièvre passagère, comme ça arrive parfois, qui l'aurait empêchée de venir à ce moment-là, mais ne l'empêcherait pas de se lever aujourd'hui, c'était une hypothèse assez acceptable; ou alors, emporté par sa pensée, il eut l'idée, le pressentiment, que cette absence pouvait cacher quelque chose de plus grave. Peut-être qu'elle avait eu un accident, les accidents de cyclo, c'était fréquent ici et ça pouvait même être mortel, pourvu que ce ne soit pas le cas. Mais peut-être que, dans l'accident, elle avait fait la connaissance de quelqu'un – un homme qui l'aurait aidée – il l'aurait bien sûr raccompagnée chez elle parce qu'elle était jolie – c'était inévitable – il aurait sans doute été présenté à sa famille – il serait passé pour un héros – un premier de l'An – alors tout était fini. Yann ne savait pas s'il préférait qu'elle fût malade – blessée – morte – ou qu'elle n'ait pas eu envie de venir ce jour-là, l'égoïsme est parfois l'autre nom de l'amour.

Il se dit alors que si elle avait renoncé à lui, car c'était sans doute la seule explication, il ne pourrait le supporter. Il la supplierait, la supplierait, de ne pas l'abandonner ; car elle ne pouvait faire ça – le temps qu'ils avaient passé ensemble – toutes ces journées – comme elle l'avait soigné – c'était à cause d'elle qu'il était encore à l'hôpital – tout ça pour rien – elle n'avait pas le droit – mais si elle était tombée amoureuse de quelqu'un d'autre, quelqu'un de plus séduisant, qu'y pouvait-il ? – l'autre, il l'imaginait sous les traits d'un riche Vietnamien, étudiant en droit ou autre chose, ou même un soldat français, un officier bien sûr, la vie est une succession de hasards – un mensonge et une humiliation ; il se sentit déborder de colère à cette idée, il en souffrait d'autant plus qu'il était cloué à cet hôpital et ne pouvait aller nulle part. D'autres pensées vinrent torturer son esprit, peut-être l'accident avait-il eu lieu au bout de la rue, s'il avait pu le voir, ç'aurait été lui qui serait descendu et l'aurait secourue – des regrets inutiles –, alors elle ne l'aurait pas abandonné. Yann agita ces pensées toute la soirée. Il croyait voir le visage de l'autre homme, s'imaginait sa voix, son élégance ; mais l'instant suivant, il se disait que cela était ridicule, que tout s'expliquerait par quelque chose d'insignifiant, qu'elle viendrait le lendemain, que tout serait oublié, il passait de la tristesse à l'enthousiasme comme un enfant malade. Pour passer le temps, il s'était dit que lorsqu'elle reviendrait le voir, si elle devait revenir, il devrait lui dire, il lui dirait, pas tout de suite à son arrivée, il attendrait un peu et il lui dirait – comment avait-elle pu ? Ils avaient si peu de temps – dans quelques jours, il repartirait pour le front, et elle n'était même pas capable de – c'était insupportable – il remuait ces pensées, il essayait de trouver des phrases…

Le reste du jour lui parut sans fin, ainsi que la matinée du lendemain. Mais lorsqu'elle apparut devant lui et qu'il lui prit la main, il ne put s'en empêcher, tout ce que son esprit malade s'était figuré s'évanouit. Elle était là, elle portait la tunique blanche des assistantes, ses cheveux étaient relevés en queue de cheval et retombaient sur son dos. Mais les traits de Mai étaient fatigués, pas comme d'habitude, il y avait une marque violacée sur le bas de sa joue. Elle ne reprit pas tout de suite sa main. Personne ne s'intéressait beaucoup à eux, cependant il était inutile d'attirer les regards…

Mai échangea d'abord peu de paroles avec Yann. Elle s'était arrêtée faire des achats auprès des marchands des rues. Elle lui avait apporté un déjeuner pour la fête du Nouvel An. Elle sortit d'un panier plusieurs plats qui lui étaient inconnus, et, en sentant le parfum qui s'élevait des assiettes, il eut l'impression d'être un prince au banquet de ses noces. Il y avait des rondelles de gâteau de riz gluant roulées dans des feuilles de bananier que l'on mangeait avec des pâtés à la crevette coupés en losanges, et des raviolis dont certains, plus gros, s'appelaient *bánh hoa hồng*, gâteaux de rose, pincés de pétales dentelés. Mais ce qu'il préféra, ce fut une brioche blanche encore tiède qui se mangeait avec les doigts ; sa peau était tendre et sucrée, à l'intérieur il y avait de la viande et des champignons noirs avec des œufs de caille jaune pâle. Il apprécia tout, sauf des légumes indéfinissables, à la saveur aigre et salée. Yann et Mai mangèrent en oubliant ce qui les entourait. Il semblait que ce déjeuner aurait pu avoir lieu dans un pré, au bord de la mer ou partout ailleurs ; pendant quelques minutes, ils ne furent pas moins insoucieux de ce qui les entourait que s'ils fussent assis dans l'herbe, avec rien que des insectes autour d'eux, en blouse blanche et à forme humaine. Ils étaient ensemble ; il n'y avait pas besoin de mots, plus tard viendraient les explications ; le ciel était clair par la fenêtre, un gris presque bleu, et des nuages s'étiraient au loin – demain, elle lui dirait tout – ne pas briser cet instant.

Mai prit facilement un congé de son service pendant les derniers jours de Yann à l'hôpital. Au cours de leurs conversations dans le parc, il lui raconta différents événements de sa vie de militaire, des choses effrayantes et d'autres absurdes, dont elle ne pouvait s'empêcher de rire. Il lui parla aussi de son enfance, les hivers passés chez des étrangers sans savoir quand il rentrerait, sans trop s'y attarder. Il pensait plutôt à des choses sans importance, et puis les paysages, les grosses tempêtes et la floraison du printemps. Une fois, il lui fit une confidence tout à fait inattendue – il ne fallait pas qu'elle ait peur car il était sûr de ne pas mourir à la guerre, il savait qu'il reviendrait parce que – il ne fallait pas qu'elle se moque – avant de partir – ça pouvait paraître complètement fou, mais il en avait eu la certitude – comment ça ? – il était allé s'asseoir dans l'église du Palais – Le Palais, c'est la plus grande ville de Belle-Île – il avait déjà reçu son ordre de mission pour l'Indochine – il ne savait plus s'il voulait encore partir et si c'était pas une bêtise de devenir soldat – il se demandait s'il était trop tard pour revenir en arrière. Il était resté longtemps à regarder la statue de la Vierge dorée qui se trouvait dans l'église. La Vierge dorée, c'est celle qui avait sauvé le capitaine Leblanc du naufrage – de qui parles-tu ? qui c'est, le capitaine Leblanc? – c'est dans une histoire – le capitaine Leblanc, c'était un vieillard, d'abord un jeune homme qui avait survécu à un naufrage où il devait mourir avec tout son équipage – au moment de sombrer, il avait fait une prière à la Vierge Marie et il l'avait vue intervenir pour faire taire le vent – c'est incroyable – tu n'y crois pas ? – après un silence – je ne peux le dire qu'à toi, c'est étrange parce que je ne suis pas très religieux, mais j'y crois depuis que je suis tout petit – elle avait eu un éclat de rire – ce n'est pas possible – alors bref – le capitaine avait été sauvé et il avait promis à la Vierge de lui installer une belle statue à son retour, puis il avait oublié – c'est pas bien – ce n'est que plus tard, à la fin de sa vie qu'il s'en était souvenu et qu'il avait dit ça à un prêtre, et il lui avait donné de l'argent pour faire la statue – c'était cette statue dorée dans l'église – car elle l'avait quand même sauvé – elle chercha dans sa tête une plaisanterie à dire, mais qui ne vint pas – c'est une incroyable histoire – une légende – et il m'est arrivé la même chose – quoi – mais tu ne me croiras pas si je te raconte – raconte-moi, je te jure – eh bien voilà ! – tu ne me croiras pas – j'ai regardé longtemps la statue dorée – les vitraux – puis je suis parti à vélo pour rentrer chez moi – j'ai pris la route de la côte, et en chemin je me suis arrêté à la plage de Samzun – c'est une plage qui donne sur la mer intérieure et le continent – j'ai ramassé trois cailloux blancs – tiens les voilà, je les ai toujours sur moi – je t'en donne un – et je les ai serrés dans ma main – et là, je suis sûr qu'elle m'a parlé – tu es fou – non, j'en suis sûr – peut-être que tu l'as imaginé – elle m'a dit – aussi sûr que je tiens ces cailloux dans ma main – qu'elle me ramènerait vivant à Belle-Île – ah, elle t'a dit ça – je t'en prie, ne te moque pas – en tout cas j'ai cru comprendre ça et je n'ai plus eu peur – c'était délirant, mais en regardant son visage, elle n'avait plus envie de rire ou de se moquer… Je sais qu'elle me ramènera chez moi, et moi je veux te ramener aussi – qu'est-ce que tu veux dire – je veux que tu rentres avec moi – ne dis pas ça si c'est pour – je te ramènerai avec moi après que tout sera fini – tu seras d'accord, n'est-ce pas – de toute façon, tu n'as pas le choix – nous nous marierons dans l'église de chez moi, c'est une petite église blanche – lorsqu'on y entre, on croirait monter dans un bateau – je connais le père, il ne fera pas de problèmes, et nous nous installerons dans la ferme de ma famille. On travaillera, et puis quand on aura assez d'argent, on s'achètera une maison – il nous faudra peut-être dix ou quinze ans, mais on le fera – et si ce n'est pas possible de vivre là-bas, alors nous reviendrons ici – ça aura peut-être changé, et tant pis pour la France. Alors qu'il lui disait cela, elle essayait de faire comme si elle le croyait, malgré l'avenir plein d'incertitudes.

Le dernier soir était prévue la visite du chirurgien. Comme cela avait été annoncé, Yann fit partie des soldats déclarés aptes à reprendre le service ; on l'inscrivit sur la liste du prochain départ. Il y avait un convoi de troupes vers les collines de Điện Biên Phủ qui étaient dans le calme d'avant l'attaque. Après cette visite, Mai aida Yann à préparer ses affaires, plier le linge, rassembler quelques objets, des choses qui comblent le vide. Alors qu'ils étaient ainsi occupés, le père Portier vint rendre visite au jeune homme. Le prêtre connaissait bien les sœurs de la Volière et il avait de la sympathie pour Mai. Il bavarda un peu avec Yann et ne s'attarda pas. Il lui fit promettre de revenir le voir, puis s'en alla. Yann et Mai firent les derniers préparatifs dans le silence. Il leur restait un jour à passer ensemble : il était de coutume qu'on laisse aux soldats une journée de liberté avant leur retour sur le front. Ils quittaient l'hôpital le matin et passaient l'après-midi à Hanoi. On les logeait dans une pension familiale près du lac Hoàn Kiếm, et c'est là qu'ils devaient se rassembler pour le départ. Lorsque ce fut l'heure pour Mai de rentrer au couvent, ils ne surent comment se séparer; puis, comme si ce n'était pas évident, dérisoires et rassurantes paroles, ils se donnèrent rendez-vous pour le lendemain.

VIII

La nuit fut courte et tourmentée pour les deux amoureux. Le sommeil de Mai fut agité de songes et d'images qui ne devaient plus la quitter ; elle se trouvait dans une grande maison où étaient réunis beaucoup de gens, on entendait de la musique et des éclats de rire. C'était un lieu inconnu, avec de grandes pièces où l'on voyait les restes d'un repas sur les tables et des vêtements épars. Dans l'assemblée, elle avait reconnu l'un de ses frères et des amies du couvent, mais ils avaient l'air de ne pas la voir. Ils parlaient et dansaient sans remarquer les signes qu'elle leur adressait. En avançant dans la pièce, elle s'aperçut qu'elle portait une tunique noire et un pantalon blanc. Une femme s'approcha d'elle ; elle était belle, avec des yeux de chat, sa robe en voile transparent laissait voir ses seins nus. Elle dit à Mai qu'il y avait un homme qui l'attendait à l'étage et voulait la rencontrer. La femme portait des bagues de pacotille et son visage était très maquillé ; elle était horrible à voir car elle semblait vieillir d'instant en instant. Mai était terrifiée, elle ne voulait pas monter voir cet homme, et pourtant elle était poussée vers l'escalier sans pouvoir rien y faire. Elle ne pouvait accepter, car Yann l'attendait dehors, il s'inquiéterait si elle ne revenait pas. Néanmoins c'était comme si des mains l'avaient saisie par les épaules pour la tirer vers l'escalier. Elle criait qu'elle ne voulait pas, mais les autres étaient de plus en plus insistants ; à force de se débattre, elle réussit à se dégager et se réfugia dans la pièce où il y avait le plus de monde. Elle espérait que les invités empêcheraient les autres de la contraindre, mais tous avaient disparu. Elle chercha alors comment ressortir, elle ne vit que des pièces vides, sans porte vers l'extérieur. Des murs froids et sales comme ceux d'une prison. Mai marchait d'un pas rapide, elle n'avait pas vu que des chiens la suivaient ; arrivés près d'elle, ils s'étaient mis à aboyer et l'un d'eux la mordit à la main. Elle essaya de se dégager, mais il grogna plus fort et enfonça de plus en plus profondément ses crocs – la sensation de la morsure la réveilla ; elle était en nage, cette maison n'était qu'un cauchemar. Elle n'avait pas quitté sa chambre, le couvent dormait. Elle resta allongée sans bouger, ne sachant si elle était encore endormie ou déjà éveillée ; les images de son rêve lui revinrent peu à peu à l'esprit, cette femme, ses yeux terrifiants, elle s'était flétrie en quelques instants, la maison qui ressemblait à un grand cimetière – c'était étrange, mais c'était pourtant le mot qui lui venait à l'esprit – cette maison était un grand cimetière où l'on refermait les portes grises sur les vivants. Mai tourna la tête vers la fenêtre. Son regard se perdit dans l'obscurité qu'on apercevait au travers ; dehors, le ciel commençait à peine à pâlir.

Mai revint doucement à la conscience dans le noir – pas d'idées sombres ce matin, il faut se préparer. Elle n'était pas coquette, mais il y avait cet aiguillon éternel qui pousserait les femmes à s'habiller au bord de leur tombe. Se lever, choisir des vêtements, pas de tristesse. Alors que les premières lueurs de l'aube pénétraient dans la chambre, elle se mit à sa toilette. Elle prit d'abord le broc d'eau qu'elle avait préparé et le versa dans sa cuvette ; elle y plongea les mains et elle les passa sur son visage ; la sensation de froid acheva de la réveiller. Avec un peigne d'ivoire, elle démêla ses cheveux ; elle lissa ses mèches noires, puis, lorsqu'elle eut terminé, elle versa quelques gouttes de parfum sur ses doigts qu'elle passa dans ses cheveux. Elle ouvrit une boîte de fard et posa un miroir devant elle ; elle mit un peu de rose sur un pinceau ; puis, fixant son reflet, elle le passa sur ses joues, pas trop, elle essuya l'excès de couleur avec un mouchoir. Puis, elle ouvrit son armoire et en sortit une tunique en soie brodée de lotus – est-ce qu'elle lui plairait ? c'était naïf mais joli – elle espérait qu'il l'aimerait bien. Elle releva ses cheveux et l'enfila ; puis elle la boutonna avec précaution au col, sous l'aisselle et sur le côté. Il lui manquait quelque chose ; elle pensa au coffret de sa mère qu'elle n'avait pas encore ouvert. Elle le posa sur le lit, puis le contempla quelques instants avant de l'ouvrir.

C'était un coffret ancien en bois de santal, sur le couvercle était gravé un phénix, il portait un simple loquet de fermeture en cuivre. En l'ouvrant, elle vit que les bijoux étaient disposés dans des compartiments de diverses tailles ; il y avait des bracelets de jade vert et blanc ; des boucles d'oreilles et des broches ; sur le plateau inférieur, elle découvrit des chaînes d'or enveloppées dans un tissu moiré. Chacune portait un pendentif, des pierres de différentes couleurs, améthystes, turquoises, rubis. Dans une boîte, il y avait des lingots de vingt et cinquante taëls, une véritable fortune. Tous ces bijoux lui semblèrent familiers ; peut-être les avait-elle déjà vus quand elle était petite fille ? Son cœur se serra en imaginant sa mère préparer ce coffret bien des années auparavant – savait-elle qu'elle allait mourir peu après ? Mais non, pas de mélancolie – pas aujourd'hui – elle n'avait pas le temps. Mai choisit une chaîne et un pendentif formé de quatre pierres rouges autour d'un point doré. En l'attachant, elle pria pour que Yann la trouve jolie et que les pierres leur portent chance ; puis elle referma le coffret et quitta le couvent. Le jour s'était tout à fait levé ; elle appela un cyclo qui commençait son travail de bonne heure. Elle monta sur la banquette et fit route vers l'hôpital.

Lorsque Mai entra dans la cour, elle vit que Yann l'attendait déjà en faisant les cent pas près de l'entrée. Il n'avait pas beaucoup dormi, il avait passé lui aussi une nuit agitée. Il s'était levé avant l'aurore, avait terminé d'empaqueter ses affaires ; puis il avait dit adieu à ceux qui étaient déjà réveillés et était descendu dans la cour au petit matin ; il avait attendu dans la pénombre fraîche. Lorsque Yann vit Mai entrer dans l'enceinte de l'hôpital, il pensa que c'était bien de la voir marcher à sa rencontre – un peu incrédule – ses longs cheveux – son regard timide même à présent qu'ils devaient partir ensemble. Le jeune homme lui prit la main – tu es là – c'est bien

– où allons-nous ? – il chargea son sac de toile sur l'épaule et ils quittèrent l'hôpital. Sous l'espace du ciel, Yann et Mai marchaient comme deux enfants un peu étonnés d'être ainsi ensemble dans la fraîcheur du matin – légère confusion du printemps – douce et amère la vie qui passe – quelques heures contre le sort, ils se dirigèrent vers le lac Hoàn Kiếm qui était assez proche en prenant par les boulevards, et sans dire un mot ils regardaient les rameaux verts et le vide au-dessus de leurs têtes.

Il y avait ce matin-là une claire lumière dans le ciel indécis. Le soleil était caché derrière une grande masse de nuages. Le vent soufflait sur elle en la déchirant par endroits, et elle s'éclaircissait doucement ; quelquefois, elle était traversée de rayons argentés, un nuage brillait et laissait place à une ombre plus épaisse. On voyait se dessiner des formes élancées, puis de légères flammes qui s'allongeaient avant de disparaître, et le cœur se serrait devant leur course vers nulle part. Yann et Mai avançaient en silence – car comment parler, marchant l'un à côté de l'autre, que dire entre les mots et le bruit ? – le temps est clair – tant attendu, le vent frais, demain je serai loin – mais dans quelques mois – tu reviendras – tes cailloux blancs – tu reviendras – sans doute – tout oublié, ou presque, autour d'eux, nous irons à Belle-Île, loin d'ici et loin de la guerre – ce serait bien – pas impossible – ne sois pas triste – comment est-ce que – je t'attendrai – nous aurons une ferme et des champs au bord de l'océan – reste comme aujourd'hui – à ton retour tu me raconteras plus de choses sur ta famille et ton île – oh, je t'ai presque tout dit.

La ville était toujours ornée des lampions et des lettres rouges et or du Tết, mais on n'entendait plus éclater les pétards et les cris des enfants comme les jours précédents. Pour se rendre de l'hôpital au lac Hoàn Kiếm, il n'y avait qu'à prendre le boulevard Bobillot, puis plus loin vers la gauche. Mais, étourdis par la liberté présente, Yann et Mai se perdirent au fil des rues. Elle demanda le chemin, il fallait prendre deux fois à gauche, ensuite vers la droite ; mais ils se perdirent plus encore, et se retrouvèrent dans les quartiers de la vieille ville, les rues des voiles et de la soie, avec leurs métiers à tisser en bois ; les boutiques habituellement débordantes d'activité étaient dans le calme de la première semaine de l'année. D'une corporation à l'autre, ils aperçurent enfin les bords du lac de l'Épée. Il était neuf heures, Yann et Mai continuèrent à marcher le long des rives.

Le lac étendait ses eaux claires et sereines. Les promeneurs côtoyaient des marchands ambulants et des enfants qui jouaient au ballon, et toutes sortes de professions : un coiffeur et ses ciseaux rouillés, des diseuses de bonne aventure, des cuisinières hachant leurs herbes à côté de marmites de phở fumantes et parfumées, d'autres gens encore occupés à d'indéchiffrables tâches. Sur les rives, les flamboyants entraient dans le printemps – dans peu de temps, ils se couvriront de fleurs écarlates – est-il possible que tu sois revenu cet été – je ne sais pas – sans doute pas encore. Les arbres adressaient un salut aux promeneurs, Yann et Mai marchaient d'un pas tranquille, grâce de l'instant, ils marchaient comme deux enfants dans l'ombre claire et la claire lumière – nous aurons vingt ans ensemble, après nous vieillirons tous les deux – ce sera bien et ce sera triste. Ils entendaient le cri des oiseaux dans le ciel – on est idiot, tu ne crois pas – je t'écrirai – ils posèrent les yeux sur l'îlot qui flottait sur le lac. Cette île minuscule accueillait un temple de pierre blanche qui se reflétait dans l'eau et semblait se jeter dans le ciel. C'était le pagodon de la Tortue, celle qui avait transporté l'épée du lac sur son dos, une épée d'or et de fer, qu'il avait été sage de rendre aux divinités de l'eau. Sur le lac, il y avait une seconde île où s'élevait la pagode de la Montagne-de-Jade, ils s'étaient avancés sur le pont qui menait au temple et s'arrêtèrent pour regarder leur reflet. Ils le virent trembler alors qu'un poisson venait effleurer la surface, il dessina un vaste rond qui s'élargit lentement avant de disparaître. Ils franchirent le pont puis trois portiques de pierre ornés de peintures et d'idéogrammes ; au-delà, dans le temple vermillon, le silence, l'encens et les ailes fines du toit, puis les pas de Yann et de Mai les ramenèrent sur la rive.

Le ciel avait changé d'aspect ; il était devenu gris et menaçant. Ils continuèrent à marcher sous les feuilles alors que les premières gouttes tombaient. Puis la pluie se fit plus forte. Allons nous abriter – viens. En continuant à longer la rive, ils parvinrent sans difficulté à la pension où étaient logés les soldats ; c'était une maison assez accueillante qui donnait sur le lac. On remit à Yann sa clé après lui avoir fait signer un registre ; ils montèrent tous les deux l'escalier et trouvèrent sa chambre. C'était une pièce calme et propre. Yann ouvrit la fenêtre pour y faire entrer de l'air et de la lumière. Il y avait une armoire en bois, une table, une chaise et un lit. Sur un plateau, on avait laissé une carafe, un verre. À cette heure-là, les autres chambres étaient inoccupées. On n'entendait que le bruit de l'eau sur les toits. Mai s'assit sur la chaise et Yann sur le rebord de la fenêtre. Il était ému par son visage, ses cheveux mouillés par la pluie, son regard clair, sa bouche délicate.

Ils étaient presque confus de se retrouver seuls dans cette chambre. Pour ne pas rester sans rien faire, Yann ouvrit son sac et en sortit quelques affaires qu'il déposa dans l'armoire, juste de quoi servir jusqu'au lendemain. As-tu soif ? Puis il se rassit près de Mai, la pluie tombait toujours dehors – ce n'était plus une petite bruine, mais une averse de printemps qui s'abattait de plus en plus fort et mouillait les bords de la fenêtre. C'était étrange d'être ainsi seule avec Yann – c'était doux – il était à la fois l'homme qu'elle aimait et presque un inconnu – un inconnu qui était ce qu'elle avait toujours obscurément désiré – comme la partie la plus précieuse d'elle-même – Mai n'eut pas peur car il n'y a rien d'effrayant à l'amour. Son cœur battait, elle aimait ses mains, ses épaules blanches, sa peau délicate – avait-il toujours mal à l'endroit de sa blessure ? – non – quelle chance ! – elle contemplait en silence son visage – il était beau – blanche image de la jeunesse – l'odeur douce et fraîche de ses cheveux – quand il serait vieux, qu'il aurait des rides et des cheveux blancs, elle l'aimerait encore – s'ils pouvaient aller jusque-là. Elle écoutait le ruissellement de l'eau, le ciel s'abattait toujours sur la terre. Elle le regarda pendant qu'il tirait le rideau. Dans l'obscurité, elle le laissa déboutonner sa tunique – les mains de Yann tremblaient – il n'avait jamais rien senti de si doux que sa peau – il pensa aux liserons des prés – sa peau fraîche comme l'eau – lorsqu'il la prit dans ses bras, il eut l'impression d'effleurer une rivière. Ses cheveux recouvraient ses épaules et ses bras – c'était un chatouillement – une caresse. Pour la première fois, Mai se trouvait dans les bras de l'homme qu'elle aimait – sa force et sa délicatesse – amoureux et patient – était-il toujours doux d'aimer – la joie étrange d'être dans ses bras – il déposa des baisers sur ses yeux, ses épaules, ses mains, ses cheveux – j'ai tant besoin de toi – douceur et violence de l'amour – passionné – étrangeté de découvrir son corps – voilà le creux de ses épaules – la courbe de sa taille – vacillante – je ne peux pas vivre sans toi – mon amour, mon fragile amour, mon amour éternel – Yann était comme plongé dans une rivière qui l'emportait vers d'autres paysages – de l'herbe tendre – des herbes folles qui sentent bon et qui piquent – des nuages gris et bleu – la douceur de ses cheveux et de ses lèvres – alors que se calmait la pluie, il fut un peu de temps avant de perdre tout à fait conscience – il était transporté dans des prairies pleines de murmures et de parfums, et s'endormit près de Mai, le visage dans ses cheveux, avec l'odeur indicible du citron et des ajoncs en fleur.

IX

La pluie s'était arrêtée ; on entendait encore de l'eau s'écouler sur les toits et les gouttières. Elle ruisselait le long des rigoles, sur les murs et les balcons pour former des flaques et de petits ruisseaux qui glissaient à travers les rues ; les gouttes de pluie s'écoulaient doucement sur les arbres, elles tombaient d'une feuille à l'autre sur le sol et la surface du lac, on avait l'impression d'une musique légère, de notes d'air et de clarté. Le paysage avait été renouvelé par le bain de la pluie ; les arbres élevaient leurs branches luisantes vers le ciel ; la corolle des lotus se reflétait dans l'eau du lac. Il y avait un parfum de terre humide, une odeur d'herbe fraîche et de menthe sauvage. Dans les feuillages, les oiseaux se remettaient à gazouiller ; leurs chants frissonnaient encore de l'averse, et ils saluaient le retour du soleil. On entendait les voix des passants résonner à nouveau dans les rues, et le bruit de la vie qui reprenait son cours. Un arc irisé étendait sa courbure au-dessus de la ville, mais il était si discret que peu de gens le remarquèrent ; il disparut bientôt.

Dans la chambre, les deux amants dormaient. Ils étaient bercés dans le sommeil qui avait effacé les tensions de la nuit. Lorsqu'elle se réveilla, Mai n'aurait pu dire si elle avait rêvé, mais elle était traversée d'impressions vagues et de la pureté du jour. D'une main peu assurée, elle toucha les cheveux de Yann, il dormait encore, en silence, l'écouter respirer, elle n'avait jamais vu son visage les yeux fermés – ne pas le réveiller – doucement – quelques gouttes de sang avaient taché les draps – elles formaient des taches vermeilles – c'est étrange ce sang qui coule de vous – ça ne fait pas mal – la vie qui naît et s'échappe – le cœur qui se dérobe – c'était fugace et terrible. Elle regardait les reflets des cheveux de Yann – sa peau délicate – son visage de colline creusée – ses épaules pâles – sa blessure qui était toujours bandée ; elle aurait voulu la toucher aussi – mais peur de le troubler dans son sommeil – rester encore un peu ainsi – cette journée sera si courte. Il commençait à bouger – il va être bientôt réveillé par les bruits de la ville. En ouvrant les yeux, Yann vit le visage de Mai – déjà éveillée et les yeux ouverts – la prendre à nouveau dans ses bras.

Alors qu'elle était contre lui, il lui vint l'idée qu'il ne voulait pas attendre Belle-Île. Sa perspective était trop incertaine même s'il voulait y croire – levons-nous – viens. Mai était restée allongée sous la couverture pendant que Yann avait remis ses vêtements. Lorsqu'il fut prêt, il comprit qu'elle ne se lèverait pas tant qu'il serait là, il sortit de la chambre pour la laisser s'habiller. Mai tira alors le drap – il lui semblait que son corps lui était devenu un peu étranger – étrange sensation – allez, ne rêve pas – habille-toi – lisse un peu tes cheveux – pas de temps à perdre. Mai ouvrit la porte et vit que Yann l'attendait accoudé à la fenêtre qui se trouvait face à l'escalier. Il la regarda en souriant et ils descendirent les marches.

En sortant de la pension, ils furent accueillis par la fraîcheur d'après la pluie ; la ville était baignée d'une clarté humide et argentée, des nuages sombres encore dans le ciel. Yann savait que le père Portier logeait près de la cathédrale Saint-Joseph, dans un foyer de religieux. Il lui avait donné son adresse, rue Julien, ça ne devrait pas être trop difficile à trouver – est-il chez lui – allons-y – on verra bien. Ce n'était pas très loin, mais, pour gagner du temps, Mai demanda à des passants, *ông cha pháp*, une maison aux volets verts, de l'autre côté ; ils la trouvèrent sans peine. La gouvernante leur ouvrit – vous cherchez le père Portier – il n'est pas là – je ne sais pas quand il sera de retour – non, ça ne dérange pas – vous pouvez l'attendre. Yann entra avec Mai, mais il fut retenu par une idée et ressortit en disant qu'il serait de retour très vite.

Il se dirigea vers la place de la cathédrale où étaient stationnés des cyclos. Il dit aux conducteurs – je veux aller dans la rue des bijoutiers. L'un d'eux, qui connaissait un peu de français, lui fit signe qu'il avait compris, *ông muốn đi tiệm vàng* – vite, emmène-moi, je suis pressé. L'homme enfourcha le cyclo avec des paroles confuses, *da, đi mau mau*, puis il se mit en route. Il avait une silhouette malingre, la peau tannée par le soleil ; malgré sa petite taille, il pédalait fort en faisant tinter sa sonnette. Perché au-dessus de sa selle, il traversa à vive allure les rues de la ville ; on entendait des voix de toutes parts, des groupes d'enfants, des moines, des marchands et leurs corbeilles colorées ; leurs voix formaient une rumeur étrange et discordante, *bánh bao – bánh bao – mở hàng cho tôi – ai mua bánh mì – bánh mì nóng*, au milieu des klaxons aigus, ils arrivèrent dans la rue des bijoutiers. Yann entra dans la première échoppe ; il y avait à l'intérieur des bijoux jaune vif, colliers, broches, bagues de toutes sortes, et des objets de jade. Des curieux s'étaient rassemblés pour voir ce Français qui cherchait quelque chose. Yann ne savait comment choisir, il montra à la vieille qui tenait la boutique ce qu'il voulait voir : les anneaux, il y en avait en or et en argent ; quelques mendiants entrèrent dans la boutique, peut-être qu'il leur donnerait quelque chose, mais la vieille les chassa, *bọn mày cút đi, đi ra, cút đi*, il prit deux bagues presque au hasard, et rejoignit le cyclo qui l'attendait – ramène-moi d'où l'on vient. Ils retraversèrent le vacarme de la ville ; en voyant défiler les marchés hétéroclites, la fumée des braseros près des branches de banians, Yann fut frappé de la précarité des choses qui passaient et disparaissaient sous ses yeux ; le cyclo pédala aussi vite au retour qu'à l'aller, et ils furent bientôt devant la cathédrale.

Lorsqu'il arriva au foyer, il vit que le père Portier était rentré. Il ne portait pas l'habit noir qu'il gardait à l'hôpital. Il avait une simple chemise, un pantalon sombre ; il sembla à Yann beaucoup plus jeune qu'il ne paraissait habituellement, presque athlétique. Il s'entretenait avec Mai dans l'entrée – viens, allons dans la chapelle. Le père les conduisit dans une petite pièce. Il y avait une simple croix en olivier au-dessus de l'autel, peu d'ornements, un tabernacle de bois peint. Le père Portier alluma un cierge rond et quelques veilleuses, puis il leur demanda de l'attendre. Yann et Mai restèrent seuls ; après avoir traversé l'agitation de la ville, le jeune homme fut content de goûter le calme de la chapelle; au loin, on entendait résonner le bruit des pas des religieux, des portes qui s'ouvraient et claquaient. Par la fenêtre entrouverte, il vit qu'il y avait un véritable jardin intérieur planté entre les bâtiments du foyer; une mince haie de bambous faisait un coin d'ombre, un prunier abritait des merles. Le temps s'était comme arrêté. Que faisait le père? Il ne pouvait avoir changé d'avis – les autres ne seraient peut-être pas d'accord. Mai n'était pas chrétienne, mais la disparité de culte était autorisée – seul le consentement était nécessaire – ça restait une indigène, qu'elle ait été aux Oiseaux n'y changeait rien – de l'inconscience et de la précipitation. Mai s'était assise sur un banc; cette journée était si courte, Yann trompait son impatience en se convaincant que le père Portier ne pouvait leur faire défaut – il se prépare sans doute – des choses à discuter – mais il ne leur refuserait pas cela, il ne pouvait en être autrement. L'attente leur sembla interminable, enfin des pas résonnèrent de nouveau dans la maison.

Le père Portier entra dans la pièce; il était accompagné de deux religieux et leur présenta Yann et Mai – ces pères seront vos témoins. En les voyant, ils comprirent que la décision n'avait pas été prise sans débats, mais que la détermination du père Portier l'avait emporté. Il avait revêtu une chasuble blanche ornée d'un galon de fils d'or. Il passa derrière l'autel, tenant une bible à la main, tandis que les deux prêtres se plaçaient aux côtés des jeunes gens. La cérémonie fut très simple. Le père Portier fit la lecture d'un passage des Psaumes puis de l'Évangile, mais Yann et Mai ne l'écoutèrent qu'avec peu d'attention. Ils n'auraient pu dire s'il avait été question d'un semeur, d'une graine ou d'une perle, tout se mélangeait dans une image rayonnante et trouble – le présent et l'avenir – le peu de temps qu'ils avaient à passer ensemble et les adieux du lendemain – le cri d'un oiseau dans les bambous – avez-vous les anneaux ? Yann sortit de sa poche le sachet en papier que lui avait remis la boutiquière. Le père Portier prit les alliances et les bénit. Il chanta un cantique qui parlait d'âme et de sang, sa voix résonnait solitaire et usée comme une roche marine – voulez-vous prendre cette femme pour épouse ? – oui – cet homme ? – vous voici mari et femme, la cérémonie était terminée.

Les deux religieux s'étaient déjà retirés. Le père Portier serra la main de Yann. Il ne lui laissa pas le temps de le remercier. Donne-moi des nouvelles – va, à présent. Lorsque Yann et Mai ressortirent du foyer, ils eurent l'impression que rien n'était changé et qu'une vie entière s'était pourtant écoulée ; mari et femme – si vite – troublant et fragile – c'était surprenant et insaisissable ; dans la rue, ils avaient retrouvé les rumeurs de la ville, une joie légère et pesante, cette fin d'après-midi-là.

Qu'avaient-ils fait, où étaient-ils allés ? Yann n'en garda plus tard que peu de souvenirs, des impressions vagues, l'eau claire du lac de l'Épée, l'odeur des feuilles mouillées par la pluie, le lait de coco qu'ils avaient bu, assis sur des tabourets minuscules, son goût frais et sa chair blanche translucide. Ils étaient retournés au temple de la Montagne-de-Jade ; Mai avait montré à Yann une tour qui le frappa beaucoup, isolée sur une butte, la sereine

Tháp Bút en forme de pinceau où étaient inscrits les caractères

Tả Thanh Thiên – écrire dans le ciel bleu. Il y avait eu de l'orage cette nuit-là, l'air était moite et lourd. Une pendule de bois était suspendue dans le corridor qui menait aux chambres de la pension ; elle portait des motifs de couleur et une licorne sculptée. Pendant qu'elle égrenait les secondes de la nuit, ils étaient restés blottis l'un contre l'autre, le cœur noyé de plomb, jusqu'au matin.

Les parfums rouges
et le feu de l'automne –
étoiles piquantes fol l e s

Sous l'ombre du jasmin
la rivière et le vent clair
après la pluie

Que voulais-tu
la terre-lune, le ciel-étoile –
le rire d'un enfant

Buvons le vin cruel
de cette nuit sombre
et bleue

X

Le paysage de Điện Biên Phủ étendait sa plaine verdoyante et ses collines dans une région montagneuse et sauvage. Les massifs qui l'entouraient étaient taillés de pics et de gouffres ; au nord, ils étaient traversés par la rivière Noire et au sud par la Nam Ou et la Nam Seng. C'était comme une mer tourbillonnante de végétation et de rochers, où les tigres se délectaient de leurs proies et les insectes de carcasses pourries, une rencontre entre les terres ombrageuses et les esprits immuables. Dans la plaine, il régnait depuis des siècles un calme souverain, un équilibre entre la nature et les hommes qui cultivaient les champs et élevaient leurs bêtes. Pendant la guerre, cette sérénité avait été troublée par l'invasion des Japonais et de violents combats ; puis, après leur défaite, le Việt-minh avait pris leur suite en se cachant entre ses reliefs. Néanmoins, à aucun moment l'homme n'avait réussi à détruire l'harmonie des lieux. En novembre 1953, rien ne semblait devoir changer.

Une couvée d'aigrettes s'était installée entre les branches d'un pamplemoussier qui poussait sur les bords de la Nam Youn, la rivière sinueuse qui traversait la cuvette de part en part. L'arbre avait la hauteur de trois hommes, il était lourd de fruits verts ou jaunissants. Cachées derrière ses feuilles doubles, les aigrettes virent avec étonnement des taches blanches apparaître dans le ciel vers la fin novembre ; elles étaient légères et dansantes, leurs formes arrondies étaient semblables à des fleurs de lotus renversées ; il y en eut une, puis deux, et ce fut comme une pluie de corolles blanches ; elles flottaient dans l'air, on distinguait de mieux en mieux leurs voiles de soie. Certaines étaient solitaires et portaient une forme minuscule et dérisoire ; d'autres tombaient par grappes de trois, quatre ou cinq et portaient à leur extrémité un objet plus volumineux et plus lourd ; elles furent suivies de beaucoup d'autres, la pluie dansante dura trois jours. Lorsque les corolles se posaient sur le sol, elles s'effondraient doucement sur elles-mêmes. On entendait des bruits secs et sourds, des éclats de voix dans une langue qui n'avait pas encore résonné en ces lieux ; parfois, des tirs, de la boue et du sang tachaient les voiles blanches ; ce fut le début du désordre.

Les formes minuscules étaient des hommes assez peu différents de ceux qui avaient vécu jusque-là dans la plaine. Tout juste tombés du ciel, ils rassemblaient soigneusement leur toile de parachute et se mettaient au travail. Durant ces trois jours, ils arrivèrent en grand nombre ; très vite, ils furent des milliers. Ce qu'ils firent en peu de semaines parut presque irréel. Ils déployèrent l'activité d'une fourmilière minutieuse et disciplinée. Le pamplemoussier fut déraciné avec les citronniers, les tamariniers et tous les autres arbres des alentours. Les oiseaux disparurent, beaucoup d'autres animaux s'étaient aussi enfuis ; les villageois se dispersèrent. Le paysage verdoyant fut bientôt effacé et transformé en un chantier de tranchées et de ronces métalliques. Il ne resta bientôt plus qu'une terre jaunie et dépouillée, un champ de broussailles planté de mines et hérissé de fer. Comme par un hommage ironique de la mort à la vie, on donna aux positions investies par les troupes françaises des prénoms de femmes qui devaient se mettre en cercle pour la bataille. Claudine, Béatrice, Éliane, Huguette, Françoise, Anne-Marie… Ces noms avaient pénétré l'imaginaire des soldats jusqu'à devenir une réalité plus charnelle ; elles formaient un tableau vivant qui se confondait avec le paysage. Yann arriva dans ce lieu désolé à la fin du mois de février, il faisait partie des troupes fraîchement débarquées après le Nouvel An. Il fut affecté sur Isabelle, la position la plus isolée vers le sud. Les premiers temps furent relativement calmes, des tirs depuis les rizières, quelques escarmouches et les premiers tués. Le harcèlement avançait à petits pas, pour ne pas surprendre trop brusquement les hommes ; de la patience, et le pire viendrait.

À Hanoi, peu d'informations filtraient sur les événements de la cuvette. L'armée française passait pour la plus puissante du monde ; l'occupation japonaise avait bien terni son prestige, mais, après la déroute de l'ennemi, l'ancien pouvoir était revenu avec toute sa force. Les Annamites éprouvaient généralement des sentiments mêlés vis-à-vis de la France. Même si la colonisation était injuste, beaucoup refusaient la guerre d'indépendance sous la bannière du Việt-minh. Certains avaient choisi le parti de la France par opportunisme, parce qu'on la disait moins avide que la Chine ou le Japon ; la triste réalité des dominés était de pencher vers le maître le moins cruel. Quelques-uns, épris de la culture française, désiraient une émancipation pacifique, luttaient pour l'obtenir. D'autres enfin ne s'intéressaient pas à ces questions, occupés uniquement de leur subsistance ou de leurs plaisirs.

En février, on disait qu'à Điện Biên Phủ les combats ne feraient que confirmer la domination coloniale, même si quelques-uns commençaient à croire qu'une victoire des maquisards était possible. Mai souhaitait la liberté de son pays, mais elle craignait aussi qu'il n'y ait, quoi qu'il arrive, aucune issue favorable. Dans le peuple, on pressentait que le combat du Việt-minh ne visait pas seulement l'indépendance, mais qu'il cachait des rancœurs plus inavouables, et que les premiers à payer le prix d'une victoire communiste seraient les instruits, les riches, celui qui possédait une belle femme ou qui avait offert un cochon de lait au mariage de son fils. Mai n'avait reçu aucune éducation politique, mais elle partageait cette intuition confuse. Si les Français l'emportaient, le nationalisme était condamné pour longtemps ; mais si c'étaient les communistes, ce serait le début d'une ère d'arbitraire et de terreur. Mai n'aurait pas utilisé ces mots, mais elle en redoutait la réalité : elle avait entendu ce que des soldats du Việt-minh avaient fait à un homme dans la campagne près de Hanoi. Ils l'avaient enterré dans un champ, ne laissant que sa tête dépasser de la terre, puis ils étaient passés sur lui avec une charrue. Sa tête avait été écrasée et arrachée du sol, et il y avait eu des danses et des cris de victoire. C'était sûr, elle ne voulait pas de la tyrannie de ces gens-là. Il n'y avait pas d'illusion à avoir sur l'attitude des chefs du Việt-minh vis-à-vis de leurs compatriotes s'ils devaient accéder au pouvoir. Devant l'impasse, pour ne pas céder au désespoir, elle avait obscurément résolu de ne penser qu'à son mari. Lorsqu'il n'y a plus rien à sauver dans une maison, on prend conscience que seule compte la vie des hommes. Mai était retournée à la pagode de Ngọc Sơn, quelques jours après le départ de Yann. Elle était restée longtemps debout devant l'autel. Elle avait demandé aux génies du temple que son mari rentre sain et sauf et avait formé le vœu que, s'ils le jugeaient nécessaire, elle pourrait pour cela tout accepter. Les esprits semblaient avoir écouté ses prières, un clair soleil brillait ce jour-là, comme si le ciel avait agréé ses paroles. Quelle chance peut-être, s'était-elle dit, la chance amère donnée aux innocents de changer le cours des choses, ou était-ce plutôt le signe qu'ils avaient besoin de cette illusion, alors que se poursuivaient les combats.

Pour Yann et Mai, l'attente avait changé de sens et de lieu. Lorsque le jeune homme était à Lanessan, il était à peu près sûr qu'elle viendrait une ou deux fois dans la journée. Durant le temps qu'il avait passé à l'hôpital, elle n'avait manqué qu'une seule fois au rendez-vous. Il savait alors qu'elle n'était pas loin, il pouvait combler son absence d'images. Le matin, elle était chez elle ou déjà en route sur un cyclo ; s'il pleuvait, elle ne manquerait pas d'ouvrir un parapluie pour s'abriter. Il s'imaginait aussi le paysage qui défilait sous ses yeux, les arbres de la ville, les échoppes colorées, les cris de la rue, les odeurs qui s'élevaient des marmites fumantes ; ou si elle était toujours chez elle à s'habiller, il s'imaginait qu'elle mettait sa robe, il la voyait coiffer ses longs cheveux, se couvrir d'un châle, sortir de la maison. À présent, tout était différent. Mai ne savait ni où il était, ni ce qu'il faisait. Elle ne parvenait pas à concevoir sa vie sur le front, elle avait entendu des récits de soldats, mais les mots ont peine à dépeindre la réalité. Pour qui n'a pas vécu l'horreur de la guerre, elle est comme une boîte fermée dont il est impossible de forcer le verrou. Elle essayait de mettre des images sur les mots offensives, obus, explosions, mais ces images étaient vagues et finissaient par s'évanouir. Ou bien était-ce son esprit qui n'avait pas la force de s'imaginer ces choses, car elles étaient trop terrifiantes ? Mai avait vu des blessés, des mutilés, des agonisants amenés en brancard ou opérés sur leur lit d'hôpital. Elle avait senti l'odeur de leurs chairs brûlées et entendu leurs cris ; elle avait vu des malades pour qui la mort était préférable à la douleur, des hommes qui étaient perdus et pour lesquels le courage était de terminer de mourir. C'était insoutenable d'imaginer Yann parmi ceux-là, l'idée de la douleur et de la mort lui était insupportable ; elle préférait se rappeler sa voix, son visage, ses cheveux cendrés.

Le jour, elle parvenait à oublier les combats. Mais, pendant les nuits, ce n'était plus possible. Les mêmes images et les mêmes cauchemars lui revenaient. Yann tombait dans une embuscade, ou quelqu'un lui tirait dessus et les rafales d'une mitrailleuse lui emportaient un bras ; alors qu'il était sur le champ de bataille, elle était toujours prisonnière de la maison qu'elle avait vue en rêve avant son départ, elle ne parvenait pas à trouver comment en sortir alors qu'il l'attendait, blessé, peut-être mortellement, il avait le visage plein de sang, il l'attendait et elle ne pouvait sortir. Elle parlait, criait parfois dans son sommeil, les mots résonnaient dans le silence de la chambre, s'il ne devait pas revenir, qu'il ne souffre pas – s'il doit mourir, qu'il meure dans le calme – qu'il tombe et s'endorme – qu'un autre homme ramène son corps – qu'il ne reste pas seul dans la boue et dans la nuit – mais non, il devait vivre, rester vivant jusqu'à la fin, la victoire ou la défaite n'importaient plus. Ces pensées la torturaient jusqu'au matin.

Après le départ de Yann, Mai avait repris son travail à l'hôpital. Elle avait demandé à suivre des cours pour devenir infirmière, et on le lui avait accordé. Vingt ans plus tôt, cela n'aurait pas été possible ; la société indochinoise se transformait à une vitesse incroyable. Certaines de ses amies allaient à l'université ; les plus brillantes étudiaient à la faculté de pharmacie ou de médecine, où elles réussissaient parfois mieux que les hommes. Mai espérait que la paix reviendrait bientôt. La douleur de l'attente n'est supportable que si on la remplit d'images, de choses faciles à réaliser au retour de l'absent. Elle rêvait d'une promenade au bord du lac, d'un après-midi dans une maison calme, d'un verre de café glacé pris sous les flamboyants ; il lui arrivait de l'imaginer seulement dans une rue de la ville, et tout cela lui semblait inaccessible.

La vie poursuivait naturellement son cours malgré la guerre. Mai ne chercha pas le pardon de son père, elle ne revit pas sa famille. Il était singulier de voir combien des êtres qui ont décidé de couper les ponts pouvaient rapidement devenir des inconnus. Elle vivait dans la même ville que les siens, et du jour au lendemain, rien ne semblait plus les relier. Elle avait vu l'un de ses frères rue Paul-Bert, un mois après le Nouvel An. Il marchait vers le théâtre en compagnie de quelques amis ; ils étaient passés tout près, elle avait entendu le bruit de leurs conversations, la voix de son frère, mais il ne l'avait pas vue ; elle s'était sentie transparente, plus personne, pas même le souvenir lointain de leur mère ; dans quelques années, il ne la reconnaîtrait plus parmi des filles inconnues.

Mai avait entendu dire que monsieur Lei allait célébrer son mariage avec une jeune fille de la ville qui s'appelait Kim Lan. Elle avait été externe au couvent des Oiseaux, deux classes au-dessus de Mai ; elle était agréable, un peu ronde, toujours entourée. Son père occupait un poste important à la Banque d'Indochine, il avait aussi une grande fortune. Une dame de l'hôpital lui avait dit que la cérémonie allait être somptueuse, les familles inviteraient mille personnes pour les mille ans de félicité qu'on souhaite aux mariés, il y aurait des danses de dragons et des présents magnifiques. Mai fut surprise de cette nouvelle ; non qu'elle se sentît frustrée d'un mari qu'elle n'avait pas accepté, mais elle ne pensait pas que Lei aurait trouvé si vite un père pour lui donner sa fille et organiser ces noces fastueuses. Cela lui sembla terrible, alors que la ruine et la colère grondaient aux portes de Hanoi ; les hommes étaient bien prompts à payer le bonheur de leurs familles, leur comédie de bonheur, de l'oubli de toute raison.

Le temps passait pour Mai entre les journées à l'hôpital et les soirées dans sa chambre du couvent. L'afflux des blessés venant de différents fronts ne faisait qu'augmenter son angoisse. Il y en avait toujours davantage, qui amenaient des nouvelles inquiétantes ; les affrontements devenaient de plus en plus durs et meurtriers, les maquisards étaient insaisisables, ils frappaient, laissaient des morts et s'évanouissaient. À présent, en soignant les blessés, elle imaginait le visage de leurs femmes, des enfants qu'ils laissaient quelque part, elle aurait voulu retarder le retour de tous les convalescents sur le front, elle en aurait fait de même pour les soldats de l'autre camp. Il ne lui appartenait pas d'être vaillante à leur place ; elle voyait la guerre avec son regard d'innocente ; un jour de moins à combattre était un jour de sauvé. À l'hôpital, les semaines continuaient à s'écouler sans nouvelles de Yann, sans lettre. Dans l'attente, ne pas savoir est le plus cruel, car cela signifie envisager le pire, et voir les chances de vie s'amenuiser.

XI

Depuis l'automne, la cuvette de Điện Biên Phủ était soumise à un mouvement continuel, à l'activité d'une fourmilière qui avait rongé les champs et les bois sur plusieurs kilomètres à la ronde. La pluie blanche de corolles avait été suivie d'un ballet d'avions et d'hommes. C'était un bruit perpétuel d'air et de métal, de bulldozers et d'arbres coupés ; ils avaient aplani, creusé, comblé la terre, ils aménageaient des champs de barbelés et de mines. Les collines s'étaient transformées en un chantier d'abris précaires. Le camp retranché des Français devait être protégé par ces défenses et par deux pistes d'aviation qui le reliaient à Hanoi. Mais, à mesure qu'avançait la saison, la fourmilière de Điện Biên Phủ était peu à peu encerclée par des dizaines de fourmilières invisibles soutenues par des dizaines d'autres fourmilières cachées dans les montagnes ; elles avançaient secrètement sous la terre et à travers les reliefs pour se masser autour du camp français. Ce serait un combat d'insectes dans la boue, de fourmis noires contre des fourmis rouges, il en aurait toute la furie.

Comme tous les hommes de troupe, Yann ne savait pas grand-chose de la stratégie des chefs. Il n'était pas dans leurs secrets, il ne devait pas penser, seulement se battre, sans perdre le moral, sans poser de questions ni chercher à comprendre. Il restait assez solitaire et, sans doute, ce fut un bien, car il en sut moins sur la propension des politiques à jouer aux dés la vie des autres. Ses journées se passaient en travaux d'aménagement du terrain et en sorties de reconnaissance. De temps en temps, il partait avec un groupe d'hommes à la recherche des soldats ennemis qui poursuivaient leurs canonnades. Il fallait les débusquer, trouver des renseignements, enrôler des traîtres, faire des prisonniers. C'étaient des marches pénibles où ils essuyaient des tirs sans trop de résultats. Lorsqu'ils trouvaient des Viets, c'étaient de nouveaux combats, des blessés, des morts, parfois pour rien. L'adversaire s'armait petit à petit, il devenait chaque jour plus puissant.

Depuis novembre, le camp était suspendu à la perspective d'une attaque vietnamienne. Au début de l'année, elle devait être imminente, elle fut même annoncée pour la nuit du 25 au 26 janvier. Les Viets devaient profiter de la clarté de la lune, montrer enfin leurs pieds blessés et leurs armes, déferler sur Gabrielle ou Éliane avec leurs cris de fous. Les soldats du camp étaient prêts, ils imaginaient déjà la clameur des troupes en haillons, en feuilles de bambou et de latanier, s'élever dans la vallée ; une masse compacte, hurlante, accompagnée par des tirs de canon. Ils se jetteraient sur les champs de mines et les barbelés, la vie ne compte pas pour ces gens-là, les premiers feraient un pont de leurs corps pour les autres. Le camp français tirerait, ils tireraient de toutes leurs forces sur ces guenilles, ils les déferaient tous ; quelques-uns passeraient, il y aurait des combats au corps-à-corps, mais ils étaient beaucoup plus forts que ces insectes, à peine armés, leurs grenades mouillées n'éclataient pas toujours. Il fallait que les soldats du Việt-minh attaquent, que ce soit violent et rapide, qu'ils déchargent leur haine et leurs cartouches, que la victoire française soit implacable. Dans le camp, les imaginations s'étaient suspendues à ces images, ils feraient feu de toute leur puissance sur la vague déferlante, pas de pitié, des obus contre de la chair humaine, s'ils passent, serai-je parmi les premiers morts – ne pas souffrir – ce sont des machines à tuer – mais nous aussi – la victoire sera éclatante. Certains se voyaient de retour en France, des pintes de bière dans un bar et des femmes tout autour – laquelle choisir – une blonde avec des seins nus – être riche – ne rien faire – devenir quelqu'un d'important – être en vie – boire chaque jour à la chance d'être vivant. Mais la nuit du 25 se passa dans le calme et il n'en fut rien, les renseignements étaient faux ou les Viets avaient changé d'avis, ils s'étaient décommandés. Il y eut une sourde colère parmi les Français – tout ça pour ça – les salopards – tout ça pour rien – mais quand attaqueront-ils ? – les poules mouillées – vont-ils seulement attaquer ? – ou vont-ils jouer le pourrissement et porter leurs forces ailleurs ? – nous ici et eux là-bas – dans le delta du Mékong ou sur Hanoi – ce serait cocasse – ils sont malins comme des singes – les pourritures. Les jours suivants, l'intensité de l'attente s'était apaisée, mais la tension restait diffuse jusqu'à la prochaine fois.

Yann arriva sur Isabelle un mois après cet épisode. L'essentiel du camp était alors constitué. Il n'y avait eu nulle dérobade dans la nuit du 25 au 26 janvier, les Vietnamiens se renforçaient avec patience et intelligence, petit à petit, ils avançaient dans la montagne, apportant leur équipement par camions et sur des vélos ; leurs pieds saignaient dans la boue, mais ils avançaient en creusant des pistes, en montant leurs canons et leurs mitrailleuses venus de Chine, en aménageant des tunnels et des abris invisibles d'où ils allaient faire pleuvoir le feu sur la cuvette. Ils réunissaient un arsenal terrifiant, ils avaient une stratégie implacable, se jouer de l'adversaire, le rendre fébrile, la tactique des piqûres de taon, le harceler, se cacher, avancer toujours plus près, être des milliers, avoir de plus en plus de forces à l'avant et à l'arrière, l'encercler, l'étouffer, lui écraser la tête dans la boue, lui faire cracher le sang, avancer toujours jusqu'à la victoire finale.

Les deux camps étaient soumis à une attente paradoxale, l'attente de combattre et de mourir, que cela finisse enfin, la plupart attendaient depuis de longs mois, parfois des années, de rencontrer l'ennemi, le maquisard qui semblait s'évanouir dans le paysage après chaque affrontement ou le colon, tout-puissant et qu'il fallait écraser. De part et d'autre, il y avait une appréhension qui grandissait avec le désir d'en finir – le goût du sang et de la mort – le maigre espoir de vaincre et de rester vivant – ou du moins de mourir vite – et d'en tuer un maximum – parfois l'homme se transforme en bête avec les meilleures raisons du monde.

Les soldats du Việt-minh étaient bien mieux préparés que par le passé, ils étaient déterminés, prêts à se battre, ils étaient redoutables car ils n'avaient rien à perdre. C'étaient des paysans et des gamins des rues, des miséreux qui n'avaient rien d'autre que de la colère et une vie qui ne pesait pas grand-chose. Ils étaient là pour le peu de nourriture et d'espoir qu'on leur avait donné, leur âme s'était aiguisée pour lutter contre les Français et contre une oppression insupportable. Ils ne comprenaient peut-être rien au communisme et au capitalisme, mais ils luttaient de toutes leurs forces pour prendre leur revanche contre des années d'humiliation, avec le désir d'une vie meilleure et d'un avenir différent. Le Việt-minh travaillait les cœurs et les têtes pour faire de tous ces hommes, parfois encore des enfants, des combattants inconscients. Dans ses rangs, la machine à hébéter fonctionnait si bien que même ceux qui avaient été enrôlés de force étaient prêts à verser leur sang pour la patrie. Le drame qu'ils vivaient n'était pas inférieur à celui des Français : tous seraient joués par leurs chefs, plus tard, différemment, mais que pesaient des centaines ou des milliers de vies face aux grands desseins du parti ?

De l'autre côté des barbelés, le camp français formait une forteresse de Babel veinée de secrètes fêlures. On y avait rassemblé des soldats de tous horizons : Français, Indochinois, Africains, Européens, ethnies des plaines et des montagnes. Ils étaient réunis par le hasard mais aussi par autre chose d'incompréhensible, que certains appelleraient l'honneur et d'autres l'illusion. On les croyait invincibles, et tout résidait dans cette illusion. Tout était illusoire concernant le camp français, l'assurance qu'ils avaient les meilleurs chefs, les meilleurs équipements, les meilleures armes, la conviction d'être du côté du bon droit, celui du plus fort et du plus puissant. Tout devait s'évanouir dans le camp, et qui sait si l'honneur serait sauvé ? Et que dire des Viets du camp français, qui pensaient se battre pour leur patrie et pour la liberté, persuadés que le droit était de ce côté des armes plutôt que de l'autre ? Il y avait dans cette bataille le germe d'une plus longue tragédie.

Pendant les semaines qui avaient précédé la bataille, Yann avait vécu noyé au milieu des hautes montagnes et des forêts qui encerclaient la cuvette. Noyé par le chant des crapauds-buffles qui remplissait les bords de la Nam Youn, dans le chœur du camp retranché, le bruit des pelles et des pioches, le vrombissement des machines et les détonations des canons qui résonnaient dans l'air. Si les Viets s'avéraient plus forts, ce serait terrible. Les Français étaient à découvert alors que l'ennemi restait invisible ; de nuit, ils ne pourraient voir leurs assaillants, Yann faisait partie des artilleurs qui, à défaut de cibles identifiées, ne pouvaient que se confier au hasard. Le camp français était dépendant des airs, perdu au milieu des montagnes et de la jungle ; qu'arriverait-il s'il perdait contact avec les bases de Hanoi et les ravitaillements du ciel ? Qu'arriverait-il si les Viets coupaient les ailes des avions ? Le camp n'était pas si bien protégé, les abris étaient fragiles ; il y avait un terrain infranchissable dans les six kilomètres qui séparaient Isabelle du reste des collines françaises.

La veille de l'attaque du Việt-minh, il avait fait un soleil radieux alors qu'on entrait bientôt dans la saison des moussons, un vendredi paisible, hormis le continuel harcèlement auquel les Français s'étaient habitués. La lumière baignait les hauteurs du paysage, les montagnes semblaient dormir dans leur sérénité éternelle. Une nouvelle fois, l'attaque avait été annoncée ; elle était prévue pour le lendemain, 13 mars, à dix-sept heures. Comment pouvaient-ils savoir, à l'heure près ? C'est à croire que l'état-major avait reçu un télégramme d'Hô Chi Minh. Ou alors était-ce une nouvelle mascarade ? Les Viets devaient attaquer en fin d'après-midi ; c'était logique, ils profiteraient des dernières lueurs du jour, et à la nuit tombée les avions ne pourraient plus intervenir. Dans l'obscurité, l'infanterie attaquerait, il serait difficile de savoir où riposter ; mais le camp français était là pour attirer la bataille, il saurait contre-attaquer.

Depuis son poste d'observation, Yann avait écrit une lettre à Mai. Cet après-midi-là, il ne voulait voir que la beauté du jour. Demain, on verrait bien. Il lui parlerait du temps, des couleurs vives et brillantes du paysage ; malgré l'angoisse de l'attente ou peut-être grâce à elle, il était étreint par le bonheur de respirer un air sans poudre et sans feu, le luxe de jouer à regarder le soleil en face jusqu'à avoir des taches devant les yeux, se dire que c'était un jeu idiot, cette brûlure du regard, et fermer les yeux pour se reposer et voir encore ces taches lumineuses et colorées. Il avait toujours aimé faire cela depuis l'enfance, il ne pouvait s'empêcher quelquefois de vouloir regarder le soleil en face et se brûler un peu les yeux ; c'était la preuve qu'il brillait quelque part. Cet après-midi-là, Yann ne voulait rien penser d'attristant – joie de l'avoir rencontrée – de savoir qu'elle l'attendait – d'avoir une raison de rentrer vivant – pourtant il ne pouvait empêcher l'angoisse de le saisir. Il y avait toujours cette lumière éclatante et ces montagnes sereines – ces choses qu'on n'ose pas dire avant d'entendre les pas de la mort qui approche – toujours l'espoir et le rêve du retour – nous nous retrouverons bientôt – je reviendrai – c'est sûr – et si je ne revenais pas – il imaginait ses mains, son regard, ses cheveux noirs. Ce fut la seule lettre qui parvint à Mai durant les semaines suivantes, les autres s'étaient perdues ; elle était partie dans l'un des derniers avions qui quittèrent la cuvette.

Mai apprit l'attaque vietnamienne sur Điện Biên Phủ à travers la rumeur de la ville. Le Việt-minh avait cette fois lancé son assaut dans l'après-midi du 13 mars, comme prévu. La seconde fois, les Viets n'avaient pas manqué au rendez-vous. Les combats s'étaient poursuivis la nuit et, contre toute attente, on apprit qu'au bout de quelques heures une position de Béatrice était tombée. Dans la surprise et la douleur. Ce fut le début d'un engrenage infernal, d'une bataille monstrueuse, le début d'une étreinte à corps perdu, au milieu de la brume et de l'obscurité. En quelques heures, Béatrice fut prise et défigurée. L'ennemi avait fait pleuvoir sur elle des milliers d'obus tirés de canons invisibles, mais où avaient-ils trouvé des armes aussi modernes et comment avaient-ils pu les transporter jusque-là ? Ils leur avaient donc fait traverser les montagnes… Le camp français était abasourdi, l'horreur avait éclaté dans ses rangs, comment avaient-ils réuni une si grande puissance de feu ? En quelques heures seulement, les Viets avaient écrasé les abris précaires de Béatrice et réduit ses défenses à peu de chose, ils avaient fait exploser sa fragile auréole et disloqué son corps ; puis des bataillons hurlants s'étaient abattus sur elle, ils avaient dynamité ses lignes de défense, anéanti le poste de commandement, égorgé ses hommes, enfin ils avaient planté dans son visage le pic de leur drapeau rouge. Tout cela en une seule nuit, surprise terrible de l'Histoire – jouissance de la meute et malheur du vaincu, ce n'était pourtant que le début du désastre.

XII

Les semaines qui suivirent apprirent les mots horreur et douleur aux hommes des collines. Les obus ennemis avaient fait d'énormes ravages dans les lignes françaises ; les réserves de carburant et de napalm qui avaient été atteintes brûlaient de leurs flammes infernales. Des chars et des avions au sol avaient été détruits. Beaucoup de casemates à peine protégées par des sacs de terre s'étaient écroulées sur elles-mêmes. Les voies de communication étaient coupées par des explosions.

Très vite, les blessés affluèrent au poste chirurgical. Il y avait seulement une quarantaine de lits, mais dès les premiers jours, ils arrivaient par centaines. Ils se traînaient avec leurs maux à travers les tranchées. Les éléments climatiques entraient eux aussi dans la bataille. C'était la vengeance de la nature contre les hommes ; ces insectes qui avaient dépouillé ses coteaux et dépecé ses champs, le ciel les noierait dans la pluie et dans la boue jusqu'à ce qu'ils en crèvent. Sous le ciel brumeux, les médecins du camp opéraient, amputaient, abandonnaient à une mort certaine les blessés les plus graves. Ils menaient leur bataille contre les vers et la gangrène ; c'étaient des journées d'opérations continues dans la chaleur moite, dans la colère et le désespoir, et toujours plus de morts et de blessés ; leurs cris et leurs hurlements insupportables, du sang sur les murs, du sang sur les mains, du sang sur le sol, tout baignait dans le sang et la boue, et les mouches attirées par l'odeur de la mort faisaient des rondes sur les corps des malades.

Dès les premiers temps, les pistes d'atterrissage avaient été pilonnées par l'ennemi. Bientôt, plus aucun avion ne put atterrir de jour, puis ce fut impossible même la nuit, l'artillerie viet ravageait les airs au-dessus des collines... Il arrivait que des appareils tournent vainement au-dessus de la cuvette avant de retourner à Hanoi ; lorsqu'un Dakota parvenait à larguer ses paquets, ils pouvaient tomber dans les lignes adverses ; s'ils arrivaient du bon côté, les soldats affrontaient les tirs ennemis pour rapporter des armes et des médicaments.

Les nuits étaient éclairées par la lune et le feu des combats. Parfois s'y ajoutait la clarté des fusées-parachutes, le vent les portait au-dessus de combats de plus en plus violents. Les positions françaises tombaient progressivement, au prix d'offensives et de contre-offensives interminables et meurtrières. Après Béatrice, ce fut le tour de Gabrielle, puis des collines d'Anne-Marie, et la menace sur Huguette, Dominique, Éliane, toutes les sœurs. L'ennemi pilonnait, bombardait, canonnait sans relâche. Il creusait ses galeries tentaculaires sous les lignes, encerclait les positions, étouffait la résistance, surgissait dans la nuit avec ses cris déments et ses fusils.

Les soldats français continuaient à se battre comme des aveugles, comme des bêtes, des désespérés. Il y eut quelques victoires, des positions reprises, des courts moments de silence dans la tourmente ; dormir, compter ses morts, se remettre de l'épuisement, le soleil éclairait toujours malgré la mousson avançante. Puis, après ce répit, l'horreur se remettait en marche ; d'autres blessés qui s'entassaient, les ombres de la mort qui rôdaient, s'abattaient, déchiraient avec une sauvagerie méthodique ; les soldats buvaient le désespoir et la rage – se voir mourir, ne rien pouvoir faire, être renversé, écrasé, l'une des meilleures armées du monde, par des insectes.

Le temps ne semblait plus exister ; le plus extraordinaire, c'est que lorsqu'on demanda des volontaires pour être parachutés, il y eut des hommes pour se présenter alors qu'il n'y avait plus d'espoir. Ils savaient tous qu'ils avaient peu de chances d'en réchapper, qu'ils se portaient volontaires pour la mort, aspirants à se faire réduire en morceaux pour rien ; ils savaient que leurs noms allaient se perdre dans l'obscurité de la défaite. Ils sautaient sur la cuvette sans aucune illusion : adieu au soleil, à la brise claire, à leur famille, c'était un billet sans retour pour la nuit.

Les soldats du camp virent pleuvoir les renforts, des corolles d'hommes au milieu de la bataille – les fous – les vies gâchées ; certains devaient mourir avant d'avoir atteint le sol ou exploser sur une mine, d'autres étaient tirés comme des lapins avant même d'avoir pu se débarrasser de leur parachute. Maintenant, ceux qui tombaient ne rassemblaient plus avec soin leurs toiles comme ils l'avaient fait en investissant la cuvette ; ils s'en débarrassaient vite fait et les abandonnaient derrière eux dans la boue. Elles formaient des taches blanchâtres, comme des pétales de lotus flétris ou des linceuls étendus sur le champ de bataille. Parmi ces volontaires, certains sautaient pour la première fois et s'estimaient heureux de ne pas être tombés chez les Viets, d'arriver seulement en état de se battre – tout ça pourquoi, pourquoi ? La question tournait à l'hallucination.

Certains pensaient que c'était le sens de l'honneur, l'envie de se battre pour son pays – ne plus pouvoir regarder ses frères mourir sans rien faire – le sentiment irrésistible du devoir – y aller – coûte que coûte – priant de voir en face la douleur et d'embrasser la violence de la mort. Pourquoi des jeunes hommes de vingt ans sautaient-ils dans la gueule de l'enfer ? Y avait-il l'attraction de ces femmes, ces collines aux noms poétiques, gracieuses perdues pour lesquelles quelques furieux voulaient mourir encore ? Voulaient-ils encore sentir la peau de ces femmes, poser les doigts dans leurs plaies et reposer dans leurs lignes sanglantes ? Tomber pour Éliane ou Isabelle, parmi les dernières survivantes, les dernières à être dépecées ? Il y avait peut-être aussi étrangement chez quelques-uns de ceux qui se battaient à Điện Biên Phủ une forme d'amour, car ils gardaient un attachement ancien et incompréhensible pour l'Indochine. C'était l'amour souffrant et mystérieux d'une poignée d'hommes pour une terre démembrée par leurs aînés et qu'ils espéraient défendre au prix de leur vie. Peut-être luttaient-ils pour tout cela, ou peut-être qu'il n'y avait rien que l'imagination pût comprendre ou la raison justifier.

Après deux mois, le bataillon de Yann avait été décimé. Quitte à mourir, les blessés retournaient sur le front, préférant le combat au brancard. Yann avait continué à se battre et la mort était passée à côté de lui sans l'emporter. Il avait vu un soldat décapité par un obus, sa tête avait explosé dans un grand fracas et son corps avait été réduit en morceaux. Il ne restait plus rien de lui, rien que des lambeaux de chair, on ne savait même plus si c'était la sienne ou celle de l'infirmier qui passait à côté et qui l'avait accompagné.

Dans les bordels militaires, il y avait des Vietnamiennes et des Maghrébines. Ces filles étaient là parce qu'elles n'avaient pas eu le choix ; elles pouvaient faire plus de cinquante gars par jour, elles ne les comptaient plus, c'était un enfer. Lorsqu'il y eut tant de blessés qu'on ne savait plus comment faire, ces prostituées ont soigné les soldats, elles ont lavé leurs plaies, elles leur ont tenu la main pendant qu'ils appelaient leur mère. Elles auraient pu chercher à s'enfuir vers le camp adverse, mais elles ne l'ont pas fait. Il était terrible d'imaginer ce qui leur arriverait.

Au début du mois de mai, alors que l'épuisement gagnait tout le camp, un chasseur laotien était allé chercher de l'eau dans son casque. Au retour il s'était assis, puis son corps s'était écroulé. Lorsqu'on avait remarqué qu'il ne bougeait plus, Yann l'avait appelé, secoué ; il était mort d'épuisement. Certains trouvaient le fait incroyable, mais on avait pourtant constaté de nombreux cas les derniers jours ; ceux qui mouraient ainsi étaient sans doute les plus chanceux, ils mouraient de fatigue et de désespoir, plus rien ne pouvait les atteindre, ils ne verraient pas l'humiliation de la défaite.

Yann se souvint aussi plus tard de ce réveil au milieu d'une canonnade. Il s'était endormi dans le recoin d'une tranchée ; il fut réveillé par des explosions étourdissantes qui secouaient la terre. En ouvrant les yeux, il avait vu à ses pieds une forme blanche et sanglante ; c'était un bras arraché, il avait déjà vu quelque part la montre qu'il portait au poignet, mais à qui était-elle ? Il ne pouvait s'en souvenir, et la terreur l'avait saisi au plus profond de son cœur.

On avait aussi compté de nombreux suicides ; certains se faisaient sauter avec une grenade lorsqu'il n'y avait plus d'espoir. Lorsqu'ils se retrouvaient seuls parmi les cadavres des copains, avec les deux jambes coupées, en charpie, plus aucune cartouche à tirer, l'horreur les faisait crier plus fort encore que la masse des ennemis ; ils cherchaient fiévreusement la dernière solution, ils dégoupillaient une grenade, les secondes les plus longues de leur vie, plus de douleur, c'était fini.

Il y en avait aussi qui désertaient, qui se terraient entre les méandres de la Nam Youn ou rejoignaient directement l'ennemi ; c'étaient les rats. Ce massacre n'était plus leur affaire, ils en avaient assez, trop épuisés, trop étourdis de souffrance et d'absurdité, ils n'avaient pas signé pour ça, pour cette orgie d'ordure et de sang. Il n'y avait plus de place pour eux, c'était trop pour un homme, nul n'était tenu à ce sacrifice, ils rejoindraient l'ennemi car c'était le seul salut possible, le signal du repos.

Dans les tranchées, on n'enterrait plus les morts ; il n'était même plus utile de les recouvrir d'un linge ou d'une pelletée de boue, car l'instant d'après ils étaient emportés par la pluie. Les cadavres gisaient partout, ils étaient devenus les vrais habitants des lieux, comme s'ils devaient finir par ensevelir les vivants. C'était la victoire des mouches et des vers ; on n'arrivait plus à les empêcher de se repaître du sang des blessés, on était satisfait quand ils se contentaient d'un cadavre, celui-là du moins ne sentait plus rien. Mais les bêtes attaquaient aussi les vivants, les mutilés, les agonisants, et ils remporteraient la bataille ; la gueule de la mort allait dévorer les hommes.

La stratégie du camp français n'existait plus, il n'y avait plus de plan, plus d'espoir, alors que les Viets continuaient à harceler, canonner, attaquer inlassablement. Ils creusaient leurs ultimes galeries sous les galeries du camp, ils déposaient des charges de dynamite sous les postes et les faisaient exploser. Les hommes et les armes étaient déchiquetés, objectif atteint. Les collines étaient submergées jusqu'à ne plus pouvoir tenir – ne plus pouvoir tenir, la pluie ne discontinuait plus, dans quelque temps les hommes seraient dans la boue jusqu'à la taille, puis après ils seraient emportés par les torrents de la mousson.

Finalement, après des jours et des jours de combats, les dernières sœurs étaient tombées, nues et déchirées, Huguette, Dominique, Éliane, Isabelle. Devant l'ampleur des pertes et l'impossibilité de retourner la situation, après tous ces morts pour rien, l'état-major décida de prendre acte de la supériorité de l'ennemi. Il fallait donner le signal de la fin, mais sans drapeau blanc, dérisoire fierté ; le reste appartenait aux politiques. Cependant, sur le champ de bataille, rien ne pouvait empêcher la suite d'être une traversée de l'enfer. Les hommes étaient brisés par la fatigue, les blessures et par la rage de la défaite. Yann n'avait plus aucune force, plus de force, plus rien que la nausée et la pitié pour les morts.

Lorsque la fin des combats fut déclarée, alors que les Français détruisaient leurs armes, ils virent apparaître des formes déguenillées, d'abord quelques-unes puis comme une mer d'hommes, l'armée des fourmis qui les avaient mis à terre, des gringalets qui semblaient n'avoir pas plus de seize ans, grouillants et faméliques. Ils se ruèrent sur les vestiges du camp, ce qu'on n'avait pas détruit. Ils fouillèrent les poches des cadavres, cherchèrent ce qui restait à manger, et tout ce qui pouvait servir. Certains parlaient bien le français, jubilation du vainqueur, frénésie de sauterelles sur un champ de ruines.

Les tentacules de l'ennemi s'étaient ainsi refermés ; la désolation avait submergé le camp. Il y avait des milliers de prisonniers, des blessés, épuisés, hagards – où aller, que faire, les Viets n'en savaient pas plus qu'eux. Il y eut des ordres, des contrordres, on tourna en rond, puis ce fut le début d'une longue marche dans la nuit. Ils formaient des cohortes désolées dans l'humidité de la saison, la soif et la faim, la fièvre, les bêtes, et faisaient route dans le labyrinthe de la jungle, harcelés par les cris des bộ-đội ; c'était le chant miaulant de la longue marche de la mort ; les prisonniers allaient rejoindre leurs camps de détention, laissant sur la route les cadavres et ceux qui tombaient épuisés.

Ce fut un mois de mai terrifiant. La jungle avalait les malades et les moribonds. Les vaincus apprenaient à leur tour à marcher pieds nus sur les chemins de caillasse et de boue ; ils n'étaient plus que des animaux pitoyables. Yann continuait à avancer avec les autres – comment était-il encore vivant – pourquoi était-il encore là – c'était un cauchemar éveillé – il ne distinguait plus le jour de la nuit – il ne savait plus quand il s'endormait – il se réveillait dans un trou au bord de la route – et il fallait toujours poursuivre la marche – parfois il y avait des pauses dans une clairière – puis de nouveau la marche agonisante.

Pendant tout ce temps, il n'était plus porté que par un secret instinct de survie qui est le plus sûr compagnon de l'homme après la mort. Il était égaré, ses mains puaient le sang et l'ordure ; il marcha des semaines, vidé, anéanti, et ne voyait plus les cadavres pourrissant au bord du chemin ; il ne pensait même plus à revenir et encore moins à Mai – c'était trop loin et trop confus – juste avancer, un pas après l'autre – à chaque pas penser au pas suivant ; il serrait dans son poing les deux cailloux qui lui restaient de Belle-Île, il sentait leur dureté et leur lisse rondeur – ne pas lâcher, ne pas lâcher mes cailloux blancs.

XIII

À Hanoi, pendant tout le temps de la bataille, l'attente fut terrible et déchirante, elle portait les noms d'ombre et de terreur.

Elle torturait le cœur avec un tison brûlant.

La vibrante attente jusqu'à la longue marche vers les camps.

XIV

La première lettre que Mai reçut de Yann fut aussi la dernière. Il l'avait écrite la veille de l'attaque du Việt-minh alors qu'il était en observation sur les hauteurs. Tous les soldats aimaient cette mission ; les unités la recevaient à tour de rôle, ça changeait des marches dans la boue et des tranchées. On restait à regarder le paysage sur les collines, il n'y avait rien d'autre à faire, prendre l'air et écouter le silence ponctué des tirs de canons. De là-haut, on avait une vision magnifique ; le matin, la cuvette était noyée dans une brume blanche et grise, un voile très léger qui se levait au bout de quelques heures pour laisser apparaître la plaine ; puis l'après-midi, par beau temps, le soleil étincelait sur un océan d'arbres qui s'étendait jusqu'à l'horizon.

Yann était parti avec du papier et un stylo. Il avait écrit en s'appuyant sur sa veste repliée. Il n'avait été interrompu qu'une fois, un para lui avait demandé du feu, mais, comme il lui avait à peine répondu, l'autre était reparti. Yann avait écrit sa lettre presque d'un trait ; puis il en avait plié les feuillets et les avait glissés dans une enveloppe un peu abîmée. Mai reçut cette lettre deux semaines après le début de l'attaque. On connaissait la progression du Việt-minh et les pertes françaises ; on savait qu'il déployait un armement que l'on n'aurait jamais imaginé. Les avions ne pouvaient plus faire la liaison avec Hanoi, mais on connaissait l'intensité des combats, le grand nombre de blessés et de morts. Lorsqu'elle reçut ce courrier, elle le garda entre ses mains pendant de longues minutes avant de l'ouvrir. Puis elle le relut des dizaines de fois pendant ces interminables semaines.

Ma chère Mai,

Merci de tes lettres qui me sont bien arrivées. En les lisant, j'ai l'impression que tu es un peu avec moi. Les gâteaux sont bons, les cigarettes et le café pas mal non plus. As-tu bien reçu celles que je t'ai envoyées ? Tu ne m'en parles pas. On nous a dit qu'elles ne peuvent pas se perdre, mais je n'y crois pas. J'espère en tout cas que tu recevras celle-ci. Les autres n'étaient de toute façon pas très intéressantes ni difficiles à résumer : on renforce les lignes et les abris, on fait des patrouilles, l'ordinaire en campagne.

Aujourd'hui, je t'écris d'un poste d'observation. Ici, on voit un ciel extraordinaire, bleu et sans nuage. On croirait qu'il n'y a pas la guerre, que nous sommes là de passage en attendant je ne sais quoi. Il n'y a que le bruit des tirs qui nous rappelle que l'ennemi est là lui aussi, autour des collines, et qu'il attend comme nous ; c'est sans doute pour bientôt. J'ai vu plusieurs soldats tués les derniers jours. Je n'ai pas besoin de te raconter, c'est aussi laid qu'on peut l'imaginer.

Hier, un gars que je ne connaissais pas est venu discuter avec des amis à lui sur Isabelle. Il leur a montré des photos qu'il venait de recevoir. On y voyait sa femme qui portait un garçon de deux ou trois ans dans ses bras. Il en était très fier et les montrait à qui voulait les voir. Je n'ai pas retenu son nom ; il a pleuré, il était tout à fait pathétique.

J'ai compris à ce moment que j'étais comme lui, aussi ridicule que lui ; j'ai su que si je t'ai amenée chez le père Portier avant mon départ, c'est parce que j'avais besoin de t'attacher à moi, comme lui se raccroche à sa famille. Même si je meurs à présent, j'aurai eu une femme, une femme à moi ; et même si tu m'oublies dans quelques années, j'aurai eu une femme pour qui j'aurai été quelque chose. C'est comme si tu étais ma prisonnière, je ne sais pas pourquoi je t'écris ça ; ça semble étrange et pas très glorieux mais j'avais besoin de te le dire. Quand je pense à toi, j'ai l'impression que je perds la tête, encore plus que s'il n'y avait pas la guerre, alors il ne faut pas trop que j'y pense non plus. Je ne veux qu'une chose, c'est que tout ça se termine. Après, c'est sûr, je quitterai l'armée et nous partirons de ce pays de fous…

À Hanoi, Mai avait suivi avec angoisse les nouvelles du front. Elle avait vu arriver les derniers blessés évacués avant la destruction des pistes d'aviation. Ils racontaient des choses terrifiantes qui étaient venues épaissir ses cauchemars. Elle avait suivi chaque jour les combats et la chute des sœurs ; elle avait eu des élans d'espoir pour les soldats ; elle avait partagé leurs déchirements, puis, lorsqu'il n'y eut plus d'autre issue possible, elle avait accompagné le début de la longue marche des survivants vers les camps de détention. Elle ne savait pas si Yann était parmi eux, mais il fallait tenter quelque chose. Il y avait dix mille prisonniers qui ne tiendraient pas longtemps dans la chaleur malsaine de la jungle.

Il fallait tenter quelque chose, car rien n'est impossible à une femme désespérée. Et, de plus, rien n'était si difficile dans une ville comme Hanoi, plongée dans la fièvre des changements. Ce fut un moment où plus rien n'était interdit. Avec de l'argent on pouvait tout acheter : une nouvelle identité, un visa pour l'Europe ou la maison d'un mort. Devant l'imminence de la victoire du Việt-minh, les sympathisants ne se cachaient plus ; ils prenaient le pouvoir dans la ville abandonnée au désordre. Mai s'était rendue dans une bibliothèque de quartier connue pour ses relations communistes. Elle avait demandé un entretien avec le directeur, qui disait connaître des gens haut placés. Il était révolutionnaire et maoïste, mais pas inaccessible au profit. Il écouta la requête de Mai et, après avoir réfléchi, il lui dit de revenir dans quelques jours ; il verrait ce qu'il pourrait faire, si elle avait les moyens de sa demande.

De fait, lorsqu'elle revint avec une enveloppe remplie de billets et la posa sur la table, le directeur déclara qu'il avait peut-être trouvé une solution. Un membre de l'état-major, le général Hoài Nam, avait accepté de lui accorder une entrevue. C'était un honneur qu'elle devait à sa recommandation. Ce général avait de hautes fonctions dans le parti, son temps était compté, mais il voulait bien écouter son histoire. Il était actuellement de passage à Hanoi pour négocier certaines dispositions militaires avec les Français ; qu'elle aille le trouver de sa part, et elle serait bien reçue. Mai remercia le directeur et s'en alla, alors qu'il prenait les billets de cent piastres posés sur son bureau – de quoi, dit-il d'un ton hypocrite, acheter de nouveaux livres pour la bibliothèque, car il y avait toujours besoin de sauver la face dans ces cas-là.

La semaine suivante, Mai se rendit au rendez-vous. Les représentants de la délégation communiste étaient provisoirement installés dans un bâtiment administratif. Mai savait ce qu'elle devait faire. Elle avait déposé dans une sacoche tous les bijoux qu'elle avait reçus de sa mère, ainsi que les taëls d'or. Elle n'avait pas même gardé le collier qu'elle avait porté le jour de son mariage, ne rien garder, s'était-elle dit – *của đi thay người*, plutôt perdre de l'argent que des hommes. Le général Hoài Nam était à sa table de travail lorsqu'elle entra ; il l'avait invitée à s'asseoir. Il avait d'abord montré un visage sévère ; puis, au fil de la discussion, il s'était détendu. Il avait fait apporter du thé à sa visiteuse qui n'en avait pas bu. Il avait été impressionné par l'élégance et la politesse de la jeune fille. Il avait regardé sa taille fine et ses souliers vernis. Évidemment, il était avant tout un militaire, mais il comprenait ; c'était une chose difficile car les prisonniers étaient dans la jungle. On ne savait pas quand ils atteindraient les camps, mais cela devait arriver dans les semaines à venir. Bien sûr, il pouvait faire rechercher un prisonnier, en cas de besoin. Tout était question de volonté – car dans la vie, tout est question de volonté, n'est-ce pas ? Il avait souri avec appétit à la vision des bijoux et de l'or – oui, la demoiselle avait bien de l'élégance d'avoir apporté tout cela, elle savait qu'il aurait pu tout confisquer comme un bien du peuple, et la mettre en prison ; mais enfin ce n'était pas un fanatique, il n'était pas de ceux-là. Les hommes du Việt-minh ont un honneur, ils peuvent accepter d'être payés en échange d'un service, mais ce ne sont pas des voleurs, surtout pas d'une femme.

Ils pouvaient aider une jolie femme, mais avec élégance. Le général avait découvert ses dents blanches à travers un sourire. Il était honoré de connaître Mai parce qu'il avait entendu parler de son père, le juge Lê, dont personne n'ignorait la position à Hanoi. Il ne pensait pas qu'il rencontrerait un jour sa fille, surtout en de telles circonstances. On disait que le juge Lê était un homme impartial, parfois dur, mais juste. L'un de ses oncles avait été accusé de meurtre dans un procès qu'il avait présidé ; il avait été acquitté, quel soulagement. Le moment était peut-être venu de lui rendre sa faveur en retour, en obligeant sa fille dans cette délicate situation. Par ailleurs, entre nous, on était presque en famille ; le général avait une cousine qui était au couvent des Oiseaux – elle s'appelait Bích – la demoiselle l'avait-elle connue ? C'était une gentille fille, intelligente, pleine de promesses. Il la marierait avec l'un de ses officiers, ce serait un beau couple à mettre au service du peuple.

Évidemment, l'or et les bijoux aideraient à retrouver le petit mari français – ah, que c'était regrettable qu'elle ait épousé un soldat français alors qu'il y avait tant d'officiers brillants dans l'armée populaire – quel gâchis – mais enfin c'était ainsi. Évidemment, les bijoux seraient convertis en argent qui aiderait à le retrouver ; et s'il était toujours vivant, c'était sûr qu'on mettrait la main sur lui sans trop de difficulté. Il y avait des radios dans les camps, l'armée du peuple avait un équipement moderne, c'en était fini de l'âge de pierre, on ne peut jamais perdre complètement la trace d'un homme s'il est vivant. Mais il pensait aussi à autre chose qui lui ferait grand plaisir. Le général s'était levé de son bureau et il avait pris la main de Mai dans la sienne. Il lui fit un compliment sur sa tunique, une vraie tunique tonkinoise, si attirante et si bien portée. Les termes de la proposition ne pouvaient être plus clairs.

Dans sa candeur, Mai n'avait pas pensé qu'il pourrait lui demander – l'or, les bijoux, elle pensait que ça pouvait tout acheter – elle n'avait pas imaginé cela. Prise au piège dans le bureau de cet homme, elle n'eut pas la force de retirer sa main, elle n'avait d'ailleurs rien de mieux à sauver que son mari. Avec l'impertinence que donne parfois le désespoir, elle se dit – pas tout de suite – faire durer son désir –, le seul moyen d'atteindre son but. Mai eut l'audace de sourire, de négocier un sursis ; elle lui dit que ce serait possible s'il faisait ramener Yann à Hanoi, et qu'elle serait à lui à condition qu'il lui fasse voir son mari vivant et lui donne sa parole d'honneur qu'il serait relâché. Le général eut un grand éclat de rire devant l'impudence de la demande – celle-ci finit de le séduire, car il avait un tempérament de joueur. La demoiselle était très intelligente – alors d'accord pour cela ; il en avait le pouvoir, alors pourquoi ne le ferait-il pas par *galanterie*, comme disent les Français, pour lui faire plaisir? Il referma la sacoche qui contenait l'or et les bijoux, et la rangea dans une armoire de son bureau.

Il nota les différents renseignements qui étaient nécessaires pour retrouver l'heureux mari. Il ferait faire la recherche dans les camps qui se rempliraient bientôt de prisonniers. Elle n'aurait qu'à attendre qu'il la prévienne s'il le retrouvait ; il la ferait appeler dès que ce serait chose faite, si d'aventure le petit mari n'était pas mort. Il passa sa main brune dans les cheveux de Mai, et lui adressa un large sourire, car, en noircissant sa feuille de papier, il lui était apparu que cela mettrait un comble à l'humiliation des Français. Après avoir défait leur armée et pris leurs collines, après avoir planté leurs drapeaux sur Béatrice, Anne-Marie, Éliane, il serait bon de leur reprendre même les femmes vietnamiennes qu'ils avaient épousées. Et cela ajouterait à son plaisir de savoir que le mari était vivant et qu'il serait relâché au pied de l'hôtel où un général de l'armée populaire posséderait sa femme. Un prisonnier de plus ou de moins ne ferait aucune différence, puisqu'ils auraient bientôt gagné la guerre. Assurément, c'était une bonne opération pour un chef : éprouver ses renseignements, faire acheminer un prisonnier et goûter la chair d'une bourgeoise mariée à un soldat français, une grande satisfaction, les Français avaient bien fait de perdre la bataille, c'était un moment exceptionnel de l'Histoire. Avant de la laisser partir, il la retint par le bras et lui appliqua consciencieusement un baiser – on disait que les amants français faisaient cela ; étrange sensation, il se sentit investi de puissance. Comme il avait été au lycée, il se souvint de Bonaparte et s'imagina en jeune consul de retour d'une campagne victorieuse – *jusqu'au revoir*, lui dit-il dans un accent incertain et sans souci du ridicule, un avant-goût de plus longues réjouissances.

XV

Les survivants de la cuvette avaient marché dans la jungle pendant des centaines de kilomètres. Ils étaient contraints à cheminer de nuit, sous les pluies battantes de la mousson, sur des chemins infestés de moustiques et de sangsues ; ils étaient épuisés, malades, à bout de forces. Les plus faibles mouraient sur la route, de la dysenterie ou d'une autre maladie, il y en avait tellement, ou alors ils mouraient de l'infection des blessures qu'ils traînaient dans la boue. La destination des colonnes de blessés était inconnue ; les bộ-đội erraient eux-mêmes dans la jungle sans trouver leur chemin, ils pouvaient se perdre pendant des jours avant de retrouver la bonne route. Yann tomba malade comme les autres pendant cette longue marche ; l'étreinte glacée de la nuit, il n'avait jamais eu si froid ; par chance, il n'avait que des blessures légères dont aucune ne s'infecta irrémédiablement. Il perdit beaucoup de poids ; il eut des accès de fièvre et des vomissements, néanmoins, son corps ne le lâcha pas ; après une interminable errance, il arriva finalement vivant à son camp de détention vers la fin du mois de juin.

Ce camp avait été installé dans un village mẹo dont on avait chassé les habitants. Il se trouvait près d'une rivière ; les villageois avaient aménagé des champs et élevaient des poules et des cochons noirs sous leurs paillotes sur pilotis. On avait fait construire de nouveaux baraquements par les prisonniers, pas besoin de clôture ou de mirador, la prison, c'était la jungle et la faiblesse dans laquelle on les maintenait. Les plus chanceux étaient affectés aux corvées des champs ; Yann en fit partie, il avait terminé sa journée plus tôt que ceux qui travaillaient à la construction des paillotes ou transportaient des sacs de riz. Après quelques semaines, il s'était peu à peu remis de la longue marche, malgré le manque de soins et de nourriture ; il pensait de nouveau à l'espoir d'une libération. Lorsque, plus tard, il essayait de se souvenir de cette période, Yann se rendait compte que sa mémoire se creusait de trous. Il ne savait plus combien de temps il avait passé là, ni quels étaient les gars avec qui il avait été prisonnier. Il ne se souvenait plus du visage de ses gardes, à peine de l'aspect des cagnas et de la jungle. Il devait seulement se rappeler la chaleur moite, le cri strident des singes dans les arbres et l'odeur pestilentielle des feuillées où s'affairaient les mouches. Il y avait aussi le grognement aigu des cochons noirs, qui mangeaient les ordures et les excréments.

Il ne se souvint plus tard que vaguement d'un jour où on l'avait fait venir dans la paillote de commandement pour l'interroger. Certains bộ-đội parlaient très bien français pour l'avoir appris à l'école. On lui avait demandé son nom – son grade – d'où il venait en France – quelle était sa famille – sur quelle colline de Điện Biên Phủ il avait combattu – depuis combien de temps il était en Indochine. On lui avait demandé s'il avait été blessé avant la bataille et même s'il était marié. Ils n'avaient pas eu l'air étonné qu'il ait épousé une Vietnamienne ; cela arrivait parfois dans l'armée française ; on conseillait même aux colons qui restaient plusieurs années de faire un mariage indigène. On l'avait interrogé sur sa femme, son nom, où elle habitait. Il se souvint plus tard qu'on lui avait demandé son âge et qu'il n'avait pas su quoi répondre, il n'avait plus la notion du temps dans ce camp où les jours passaient, tous identiques. Mais les bộ-đội ne l'avaient pas mal pris, ils semblaient contents de leur interrogatoire et ils l'avaient relâché sans lui faire de leçon de communisme comme c'était la règle.

Puis, au bout de quelques jours, on était revenu le chercher. On l'avait interrogé de nouveau sur les mêmes choses – son nom – son grade – sa famille – sa femme – où il était pendant la bataille – puis encore les mêmes choses dans un ordre différent, avant de le relâcher. Après quelques jours, on l'avait interrogé encore une troisième fois de la même façon. Cette fois, un chef cán bộ, s'était beaucoup agité, il l'avait jeté à terre et l'avait insulté – si tu nous mens, on va t'égorger comme un porc – un porc de capitaliste – car tu n'es rien qu'un porc de capitaliste. Ce type d'interrogatoire était fréquent pour préparer les cours de politique et les séances d'autocritique où il fallait confesser des crimes qui faisaient plaisir aux instructeurs. Enfin, quelque temps après, les bộ-đội l'avaient embarqué avec d'autres prisonniers pour le faire changer de camp. Il y avait eu une autre longue marche dans la jungle ; cette fois, cela avait été moins dur qu'après la bataille, ils furent moins maltraités ; puis la troupe avait rejoint une piste où ils avaient attendu un camion. Ils s'y étaient entassés avec des paysans et d'autres soldats du Việt-minh.

Le camion avait roulé pendant plusieurs jours ; il avançait très lentement en raison des éboulements qui défonçaient la piste. Il s'arrêtait à tous les villages pour débarquer des paysans et en embarquer d'autres, charger du riz et des outils. La nuit, les prisonniers dormaient dans la boue du chemin. Ils n'auraient pu aller nulle part ; autour d'eux, il n'y avait que la jungle et les bêtes, des paysages désolés et des soldats partout ; ils n'auraient pas pu faire un kilomètre sans être de nouveau repris. La piste se poursuivait toujours identique à elle-même, les prisonniers avaient été placés tout au fond du camion pour qu'ils ne voient rien de l'extérieur. Puis après de longs jours, le convoi était arrivé sur une route bitumée et après dans une ville. Il s'était arrêté dans une ancienne école qui servait de caserne ; on avait ensuite séparé Yann des autres prisonniers et on l'avait emmené dans un nouveau camion, puis encore un autre bâtiment et une pièce aveugle. On ne lui avait rien dit du lieu où il devait aller.

À peu près deux mois après l'entrevue de Mai avec le général, un messager déposa à l'hôpital un billet à son intention. Il était brièvement rédigé : « Vous êtes convoquée par le général Hoài Nam à l'hôtel du Peuple-Victorieux, ancien hôtel de Paris, pour une affaire d'importance. » Une seule phrase, rien de plus, le cœur de Mai s'était mis à battre violemment, rien de plus, ses mains tremblaient, entre l'espoir et l'angoisse ; si Yann était mort, elle se tuerait, elle se tuerait.

C'était alors la fin de l'après-midi, Mai ôta sa blouse, elle partait tout de suite. Elle monta dans un cyclo-pousse et lui demanda de la conduire.

Le cyclo remonta vers les berges en direction du pont Doumer. Mai s'était calée dans son siège ; elle essayait de fixer l'eau quand elle pouvait l'apercevoir entre les bâtiments ; il lui sembla que la course durait une éternité. Dans l'angoisse et l'espoir, elle pria le fleuve de lui donner un peu de sa force pendant que le cyclo filait ; elle la lui rendrait après, mais elle en avait besoin à présent pour affronter cette épreuve. Mai vit peu à peu apparaître le grand bâtiment à la façade blanche. L'hôtel se divisait en trois corps majestueux qui s'élevaient autour de la partie centrale. Il possédait de grandes fenêtres et des balcons ornés de fines balustrades. Sur le toit, le commandement du Việt-minh avait hissé le drapeau rouge à étoile jaune, il ne faisait qu'anticiper de peu la victoire imminente. Les accords de Genève étaient sur le point d'être signés, bientôt tout le nord du pays reviendrait aux communistes.

Mai pénétra dans le hall de l'hôtel, où il régnait une froideur silencieuse. Elle se présenta à des hommes en uniforme et montra le courrier qu'elle avait reçu. L'un d'eux prit des instructions de son supérieur ; puis, au bout de quelque temps, on lui répondit que le camarade général allait la recevoir. On appela un autre soldat qui fit signe à Mai de le suivre dans l'escalier ; il avait des mouvements raides et mécaniques ; à chaque palier, il attendait quelques secondes la jeune fille, avant de se remettre rapidement en marche. Lorsque Mai arriva au dernier étage, elle vit une chaise posée devant une porte gardée par deux hommes. On la fit asseoir, elle devait attendre que quelqu'un vienne la chercher. Elle s'assit donc, les deux gardes portaient des armes sur le côté et ne posèrent pas une fois leur regard sur elle.

Mai resta longtemps assise devant la porte, elle n'aurait su dire combien de temps, plusieurs heures peut-être, les généraux n'étaient pas des hommes qu'on approchait facilement, surtout à ce moment de l'Histoire. Elle écoutait les bruits de l'hôtel, les pas des militaires, les sonneries des téléphones, les portes qui claquaient ; on déplaçait des meubles, on transportait des dossiers, on aménageait des salles de travail, la machine bureaucratique était en marche. Elle désespérait que la porte s'ouvrît ou que quelqu'un vînt la chercher, elle n'osait pas demander si on l'avait oubliée, personne ne la regardait, comme si elle n'était pas là. Enfin, après plusieurs heures peut-être, on lui signifia qu'elle pouvait entrer. Elle se leva alors et entendit le parquet de bois grincer sous ses pas alors qu'elle pénétrait dans le bureau du général ; il avait été aménagé dans une suite luxueuse transformée en poste de commandement. Par la fenêtre, elle vit que le ciel était au crépuscule. L'homme était assis comme la fois précédente à son bureau. Il semblait travailler. Il ne leva pas les yeux tout d'abord, l'air absorbé, puis il ferma le dossier qu'il avait entre les mains et sembla remarquer la présence de Mai.

Tout se poursuivit comme dans un cauchemar. La demoiselle devait être impatiente de connaître le résultat de ses recherches ; il faut reconnaître que ça n'avait pas été facile, rechercher un homme dans la jungle, un prisonnier de guerre, un ennemi du peuple, et il devait dire qu'il était content d'avoir fait cette recherche car l'efficacité de ses hommes avait été remarquable ; c'était comme chercher une aiguille dans une botte de foin, voyez-vous, ou un grain de sable sur la grève, sans compter que les Français se ressemblaient tous ; c'était très difficile et ses hommes avaient fait du bon travail. Il y avait eu tant de morts et de blessés durant la longue marche, et il y en aurait beaucoup plus encore si les Français ne se dépêchaient pas de signer un accord, parce qu'enfin ils n'avaient rien à gagner à ce que cela dure plus longtemps. Il avait beaucoup de chance d'avoir une femme intelligente car peut-être qu'il n'aurait pas survécu ; il avait été souffrant, la malaria sans doute, mais il n'en était pas mort, juste affaibli, les camarades du camp 112 l'avaient humainement soigné ; elle allait voir comme il avait peu changé par rapport à d'autres prisonniers qui n'étaient presque plus des hommes, lui était en bonne santé, et c'était une chance qu'il devait à sa femme, car avec quelques mois, quelques années de plus, peut-être qu'il ne s'en serait pas sorti vivant.

Pendant tout ce discours, Mai ne savait pas si le général était sérieux ou s'il se moquait, son mari n'était donc pas mort?... Le général lui répondit qu'on l'avait placé au secret dans une chambre de service, il ne tenait qu'à la demoiselle de se souvenir de sa parole pour qu'il soit tout à fait libre. Il l'avait fait amener dans la cour pour qu'elle puisse vérifier que c'était bien lui. Elle pourrait constater que les officiers de l'armée populaire savaient honorer leurs engagements, ils s'en faisaient même un devoir. Il fit un geste en direction de la fenêtre : elle pouvait voir par elle-même le petit mari français dans la cour de l'hôtel. Mai se retint de crier ; elle se dirigea vers la fenêtre, et dans la lumière déclinante, elle vit une silhouette sèche et amaigrie dans la cour ombragée. Elle n'osa s'avancer, demeura derrière les rideaux. Un homme se tenait immobile, face aux arbres de la cour, comme s'il attendait quelque chose. Il avait les cheveux coupés court, mais elle vit qu'ils avaient une couleur claire, elle ne pouvait voir son visage que d'en haut, néanmoins elle reconnut la courbe du front et du nez, le dessin de la bouche, la forme du visage, les épaules ; c'était bien lui, il semblait vieilli de dix ans ; mais il était vivant.

Elle cacha son visage dans ses mains et articula, c'est lui – c'est bien lui – vous le libérez – après vous le libérerez – votre parole, vous l'avez donnée – sinon je vous maudis, je vous maudis, et les dieux vous puniront, vous et votre famille. L'homme ne crut pas utile de répondre, il prit la jeune fille par le bras ; il la tira vers la chambre qui attenait à son bureau. Il ouvrit la porte et poussa Mai dans la pièce ; par la fenêtre, on distinguait les eaux du fleuve rouge aux prises avec les rayons du couchant. La chambre était meublée à l'occidentale comme l'ensemble de l'hôtel. Les murs étaient recouverts d'une tapisserie lilas, on voyait au fond de la pièce un miroir ouvragé, et un lustre resplendissait au plafond. Le lit à baldaquin était dressé de draps bleus à dentelle blanche. Le général ne put s'empêcher de retenir une exclamation de satisfaction.

L'homme retira sa veste militaire ; son rire nerveux résonna dans la chambre comme une gifle. Mai se tenait debout, incapable de faire le moindre geste. Il lui adressa des paroles qu'elle ne comprit pas, puis, comme il voyait qu'il n'obtiendrait rien qu'il ne prît lui-même, il l'entraîna vers le lit. Il l'assit de force et lui dit : déshabille-toi. Dans son impatience, il accompagna ces paroles de gestes secs. Il la poussa sur le dos ; il dégrafa ses vêtements et tira sur l'étoffe avec violence. Mai était devenue une poupée de chiffon ; ses mains restaient posées sur le matelas ; elle regarda d'abord le plafond ; puis, elle ferma les yeux en serrant les poings. Elles ont cette chair-là, les filles de mandarin, sont-elles vraiment plus belles que les putains des rues ? Est-ce qu'elles valent vraiment plus cher ? Il aimait cette gorge et le dessin de ses épaules. Il aurait voulu qu'elle soit vierge, mais elle ne pouvait pas être vierge et femme de soldat – il se dit qu'il ne pouvait pas avoir les deux – c'était un plaisir ou l'autre, et il s'estimait assez content pour ne pas s'en plaindre. Il fixa son visage inexpressif, son regard figé, ses poings refermés ; c'était une manière de lui dire son mépris, mais il ne la laisserait pas s'en sortir comme ça – ma petite, tu ne t'en sortiras pas comme ça – elle le méprisait peut-être mais c'était lui le plus fort – il enfonça violemment ses doigts dans sa chair – il eut le désir de voir du sang couler, de l'entendre pleurer et demander pitié – mais elle ne disait rien, cette poupée silencieuse – il fut pris d'un accès de rage – c'était trop long – il la frappa plusieurs fois au visage – il l'attrapa par les épaules et la frappa avec toute la violence inconsciente d'un homme qui ne peut prendre ce qu'il veut – il aurait voulu la briser comme une poupée de bois – il lui saisit les cheveux, frappa de nouveau, cria des injures, son envie de la posséder – elle souffrirait – elle crierait et supplierait – il frappa de nouveau sans retenir sa force – il jouissait terriblement de la voir souffrir – c'était un plaisir nouveau et inconnu – un sentiment d'impunité et de toute-puissance – il ne put s'empêcher de crier jusqu'à voir finalement du sang tacher les draps – ce fut la délivrance – il inonda sa robe de son jus immonde – c'était fini, c'était fini. Il rejeta la tête de la poupée qui tomba pitoyablement sur le lit. Elle fit alors un geste pour couvrir son visage plein de larmes et de sang ; mais, dans son délire, il fut presque étonné de voir qu'elle bougeait comme une vraie femme. Il eut un mouvement d'étonnement et de dégoût, peut-être pour elle, peut-être pour lui-même ; puis il se leva et se rhabilla. Sans un mot, il disparut de la pièce.

Mai entendit le claquement sec de la porte qui se refermait derrière lui ; le silence était revenu. Elle rassembla ses vêtements, elle remit sa robe déchirée ; elle aurait voulu ne pas devoir la toucher à nouveau, cette robe qui lui faisait horreur, mais il n'y avait rien d'autre à faire. Elle essaya de rajuster sa tenue pour sortir sans attirer l'attention. Le lit exhalait l'odeur sure de l'homme ; elle se leva sans jeter un dernier regard sur la pièce. Lorsqu'elle ressortit de la chambre, elle vit que le bureau était vide. La porte de la suite n'était pas verrouillée ; devant l'entrée, il n'y avait plus personne, la garde avait été relevée. Elle descendit l'escalier, craignant que ses jambes ne se paralysent à chaque pas. Elle passa lentement les étages ; lorsqu'elle vit le sol du rez-de-chaussée, elle eut une impression de vertige. Dans le hall, rien n'avait changé, les hommes en uniforme étaient à leur bureau, ils ne prirent pas la peine de lever la tête lorsqu'elle passa devant eux, un seul sembla la remarquer mais elle n'en fut pas certaine tant son regard était absent. Elle arriva enfin à la porte de l'hôtel, elle poussa le battant et fut dehors. Mai sentit alors la fraîcheur de l'air et le souffle du vent sur son visage. Elle leva les yeux et vit le ciel étoilé, la nuit était tombée avec l'obscurité qui recouvrirait la honte de cette journée.

XVI

Mai avait longé la rive du fleuve Rouge pendant quelque temps en suivant le fil de l'eau, puis elle s'était assise sur un banc à l'abri des branches d'un saule. La nuit était assez claire ; malgré les nuages, la lune transperçait le ciel, elle scintillait comme une lame blanche. Le temps s'écoulait imperceptiblement, l'air était devenu plus froid, il se mit à pleuvoir. Elle n'avait pas imaginé qu'elle passerait cette soirée dehors ; le froid n'était finalement pas si dur à supporter, ni la pluie, ni le vent. Une chance d'avoir trouvé ce banc abrité, les branches du saule la protégeraient de l'averse.

Mai regardait le vent jouer entre les branches au-dessus de sa tête, la clarté de la lune entre les feuilles ; il y avait là une beauté étrange, dans cette lumière dansante. Elle en était ravie et étonnée, car elle avait toujours eu peur du noir. Quand elle était enfant, il lui arrivait d'aller à la fenêtre voir les profondeurs du dehors. Debout, le front posé sur la vitre, elle pensait que le pire des malheurs était d'y être emprisonnée ; mais, de nombreuses années après, elle découvrait que ce n'était finalement pas si terrifiant d'être happée par l'obscurité.

Il y a une petite consolation quand la nuit vous tient dans son étau : vous n'avez plus peur, car il n'y a plus rien à faire, il n'y a qu'à se laisser emporter par les forces de l'ombre et leur étreinte irrésistible. Ces forces avaient doucement pris la main de Mai, elles l'entraînaient dans une lente marche vers l'inconnu. La nuit était finalement une compagne pleine de compassion, elle avait compris que Mai était toujours la petite fille qui avait peur du vide, qu'il ne fallait pas se hâter ; dans la froideur glacée de minuit, ce ne serait pas possible, mais au matin… Patience, elle attendrait l'aube, car lorsqu'elle prend quelqu'un par la main, ce n'est plus possible de se dérober.

Il y a de nombreux chemins qui mènent les hommes vers les ténèbres, des raisons compréhensibles et d'autres insaisissables ; des accès de folie et de longues maladies, des suicides réfléchis et d'autres dérisoires. Si l'on pouvait interroger les morts après leur descente aux enfers, certains diraient peut-être qu'ils regrettent, et d'autres qu'ils ont trouvé la paix, une forme de consentement au néant – les âmes perdues, on ne peut pas savoir. Mais lorsque la nuit était allée à la rencontre de Mai, il y avait simplement de la malchance et du malheur. Trop d'attente, de douleur et de honte. Le monstre perfide aurait pu la laisser s'en aller, mais il lui avait tendu la main en souriant, un jeu de dupes, et Mai avait pris cette main sans réfléchir, la main grêle de la nuit – elle lui avait donné la sienne, alors ce fut trop tard.

L'obscurité laissa place au bleu du jour, puis à sa lumière blême. Mai s'était levée de son banc. Elle descendit doucement vers le fleuve, l'eau était froide, mais quand on y va progressivement, on n'y pense plus. Sa robe se plaqua sur ses jambes, puis sur sa taille. Mai descendit encore doucement, elle arriva bientôt dans l'eau jusqu'à la poitrine. Elle y mit les bras et fit un geste pour enlacer le courant, il faisait encore froid, la nuit l'avait bien trompée ; le vent qui jouait dans ses cheveux ne put la retenir, sa tête plongea sous les vagues ; épuisée par la fatigue du jour précédent, elle ne lutta pas contre les eaux qui l'emportèrent ; le fleuve l'accueillit doucement dans son étreinte puissante et éternelle.

Il n'y eut finalement plus de remous, et bientôt il ne resta que le silence. Le corps de Mai avait plongé tout entier dans le sein du fleuve, paisiblement, pendant de longues minutes, une dizaine seulement peut-être – la vie se joue parfois à si peu. Puis il en était ressorti sans vie ; il flottait, et de loin il semblait à présent une forme blanche indéfinissable. Elle était trop grande pour être un vêtement à la dérive, trop petite pour être une voile de navire. Ce n'était pas non plus un oiseau ni un jouet perdu. Le courant emporta d'abord cette ombre blanche loin du rivage, puis le vent la repoussa vers les berges. Les premiers passants virent le cadavre d'une jeune fille sortir des vagues au petit matin, il y eut des cris, des exclamations – quelle horreur, regardez – une noyée – elle ne bouge plus – pitié – dieux du ciel – c'est un malheur, un grand malheur – elle a l'air d'être encore une enfant.

Au sous-sol de l'hôtel, Yann avait passé la nuit en détention. On devait le réveiller à l'aube. Un des gardes avait demandé aux autres s'il fallait lui servir un petit déjeuner ; il y avait eu des discussions à ce sujet. Ils avaient attendu d'éventuelles instructions ;

puis ils s'étaient dit qu'en l'absence d'ordre, il valait mieux ne rien faire ; on ne pouvait pas déranger le bureau à cette heure. Le garde entra donc dans la chambre qui servait de cellule à Yann et le réveilla en lui tapant sur le dos, il le sortit de son lit sans lui laisser le temps de reprendre ses esprits. Il l'amena jusqu'à la porte de service et lui dit en français, avec un accent de paysan – allez-vous-en. Yann avait été surpris, et ne pensait pas avoir compris ; mais le garde avait répété ses paroles, vous sortez, allez-vous-en, *ông đi ra ngoài đi, ông đi đi.* Yann regarda par l'embrasure de la porte, il vit la lumière du matin. Il fit quelques pas pour obéir à l'ordre du garde, puis se retourna, croyant que celui-ci allait sortir une arme pour lui tirer dans le dos – ce ne serait pas si mal de mourir dans cette clarté matinale, mais le soldat n'en fit rien. Il le regarda seulement partir après lui avoir ouvert la porte, comme on le lui avait demandé, avec autant d'étonnement que son prisonnier.

Le soleil se levait ; Yann avait longé le mur par la gauche et il s'était retrouvé devant la façade principale, il reconnut alors l'hôtel de Paris. Lors de son premier séjour à Hanoi, son régiment avait demeuré quelques jours en ville avant de partir en mission dans le Nord. Il s'était promené sur les rives du fleuve Rouge et avait admiré cette bâtisse et ses élégantes colonnades. C'était incompréhensible de se retrouver là vivant, libéré par les Viets, après cette bataille terrible et l'étrange conclusion de sa captivité. Yann resta de longues minutes devant l'hôtel, se demandant pourquoi on l'avait amené là et ce qu'il devait faire, pourquoi la veille on l'avait rasé et on lui avait coupé les cheveux, pourquoi on lui avait donné des habits neufs et un repas, alors que les autres devaient toujours croupir dans la jungle. Il était resté debout un long moment, puis il se résolut à descendre vers le fleuve. Alors qu'il longeait la rive, il fut tiré de sa rêverie par des voix et des cris. Il y avait un attroupement plus bas sur le chemin qui menait vers la ville. Il ne comprenait pas la langue vietnamienne, mais il supposa qu'il y avait eu quelque chose de grave, un accident peut-être. Cela lui fut d'abord indifférent, puis il vit qu'il y avait de plus en plus de passants qui s'arrêtaient ; il se dirigea inconsciemment vers la rive.

En approchant du fleuve, il vit une forme blanche qui flottait sur l'eau, le ressac l'avait repoussée près d'un ponton, les gens s'attroupaient autour d'une femme noyée. Ils parlaient les uns avec les autres, certains criaient, mais personne n'osait s'approcher, toucher un cadavre, ça porte malheur, c'était déjà une malchance de l'avoir vu. Yann fit quelques pas vers elle, il n'avait pas peur, il avait même alors le sentiment illusoire qu'il ne devait plus avoir peur de rien. Il resta quelques minutes à regarder lui aussi la silhouette bringuebalée par le courant, c'était une jeune fille qui avait des cheveux noirs et longs, elle portait une robe blanche. Yann fixa un moment les traits de son visage ; il fut progressivement assailli par un doute indicible. Il se précipita dans l'eau et il tira vers lui le corps que personne n'avait osé toucher ; il était lourd comme du plomb, mais il vint sans difficulté porté par le courant. Yann saisit alors le visage de la noyée entre ses doigts, et sa respiration fut comme coupée ; il crut qu'il ne pouvait plus respirer, et pourtant il ne put s'empêcher de crier. C'était impossible, mais pourtant il n'y avait pas de doute : c'était elle, c'était Mai, mais comment cela se pouvait-il – comment pouvait-elle être cette femme noyée au petit matin – comment pouvait-elle être morte dans ses bras – et pourquoi ? Il tira de l'eau le corps inanimé – morte, elle était pourtant bien morte, il serra passionnément celle qu'il avait tant aimée, tant attendue. Et tout autour les passants regardaient avec étonnement ce soldat français, ils ne comprenaient pas qui il pouvait être, mais disaient entre eux que ça devait être terrible.

Yann resta agenouillé longtemps au bord du fleuve, gardant la tête de Mai posée sur sa poitrine. Le choc l'avait assommé, tout lui était devenu indifférent, il n'avait plus le sentiment de respirer non plus, il n'entendait plus les voix des gens près de lui, il ne répondait pas à ceux qui essayaient de lui parler. Une seule pensée, une seule obsession avait envahi son cœur et sa tête malade, c'était de garder Mai entre ses bras. Rien ne pourrait l'enlever à lui – c'était sa femme – il lui restait au moins cela – le contact de sa peau humide et froide. Il vit que sa main gauche portait encore l'alliance qu'il lui avait donnée, il avait gardé cette main dans la sienne, comment pouvait-elle être cette enveloppe sans vie – il devait la réveiller, la réchauffer, peut-être qu'elle ouvrirait les yeux, il se mit à lui parler tout bas. C'est moi – je t'en prie, réveille-toi – tout ça, c'est un affreux cauchemar – réveille-toi, je suis revenu, cette fois pour toujours – tu vois, je tiens tes mains dans les miennes – c'est ma main dans tes cheveux – mon amour, ouvre les yeux, réveille-toi – tu n'es pas morte, écoute-moi – je ne peux pas supporter de te voir ainsi.

La noyée restait inerte ; une idée lui ayant traversé l'esprit, il la souleva et avait l'air si décidé que personne n'essaya de l'en empêcher ; on aurait pu le retenir, mais personne n'osait s'approcher. Un policier venait d'arriver sur les lieux ; sans doute par superstition, il resta lui aussi éloigné de quelques pas. Yann s'était mis en marche comme si Mai ne pesait pas ; il se dirigea vers la ville, il n'eut pas un regard pour les passants, marcher – avancer – ne pas me séparer d'elle – peut-être qu'on la réveillera – un médecin – elle ne pouvait pas être morte, il ne voulait pas y croire et il commençait à entrevoir que la découverte de Mai si près de l'hôtel n'était pas étrangère à sa libération. Ces pensées tournaient en tous sens dans sa tête ; il ne saurait jamais la vérité, mais c'était trop proche pour qu'il n'y ait pas un désolant rapport.

Il vit apparaître le clocher de la cathédrale Saint-Joseph. Il se dirigea vers elle, c'est elle qu'il recherchait, il y trouverait sûrement de l'aide, des Français, un docteur pour la réveiller ; il parcourut en haletant les dernières rues qui l'en séparaient. Il entendit les cloches sonner, le portail était grand ouvert à cette heure-là. Il traversa le seuil et déposa Mai sur les dalles de pierre. La lumière du matin traversait les vitraux ; au fond du chœur, les trois lancettes s'élevaient comme des flammes dansantes et colorées. Il en fut transpercé, mon amour – regarde-moi, je t'en supplie, réveille-toi – je donnerais n'importe quoi pour que – réveille-toi – tu ne peux pas être morte – pas comme ça – sans que nous ayons pu nous retrouver – je t'avais dit que je reviendrais – tu n'avais pas le droit – de ne pas m'avoir attendu – c'est déchirant – déchirant – je ne peux pas vivre sans toi. La tête de Mai reposait lourdement sur sa poitrine, elle semblait ne pas entendre, ne pas comprendre. Il s'élevait de ses cheveux une odeur humide et douce ; il y eut des bruits de pas, puis des éclats de voix autour de lui. On l'appela en français ; il sentit des mains se poser sur ses épaules, un vacillement, et il ne se souvint plus de ce qui se passa ensuite.

Yann se réveilla dans le foyer des religieux où on l'avait porté. On avait prévenu le père Portier, qui l'avait installé dans sa chambre. C'était quelques heures après qu'il fut entré avec le corps de Mai dans la cathédrale. Lorsque Yann ouvrit les yeux, il sentit sa tête lourde et douloureuse, où était Mai – est-ce que tout cela n'avait pas été qu'un horrible cauchemar. Oui ce devait être un cauchemar – il ne pouvait en être autrement – il voulut être au fond de la jungle avec des fers aux pieds – ne pas être revenu à Hanoi – mais non – il était couché dans un lit – sans savoir où il était – il ne connaissait pas cette chambre – il était prêt à se lever lorsqu'il entendit une voix familière et vit que le père Portier était là, près de lui. Repose-toi, il n'y a plus rien à faire ; mon garçon, tu comprends, c'est fini. Le silence enveloppait la lumière du jour. Il comprit alors que toute cette matinée avait été bien réelle, qu'elle était morte, c'était l'insupportable réalité. Il fallait comprendre, accepter, tu t'es évanoui, on ne peut conserver son corps plus longtemps, tu sais, c'est malsain. Tu comprends ça, n'est-ce pas, tu es un bon garçon ; on va l'incinérer ce soir, je vais t'expliquer, on va prier pour elle. Tu me raconteras après comment tu es arrivé ici, il y a eu une bataille horrible à Điện Biên Phủ, je sais combien ça a été dur, j'ai entendu ce qu'en disaient les blessés, tu m'expliqueras après, je suis content que tu sois revenu ; je ne voulais pas te laisser seul avant que tu te réveilles. Yann sentit une ombre puissante l'envahir, une tristesse qui lui en rappelait une plus ancienne, orphelin une nouvelle fois. Il redécouvrait la solitude, lui qui la connaissait si bien ; enfant, il avait eu des jours terribles lorsqu'on le laissait seul à lui-même, mais il essayait de peupler le vide de songes. À présent, il avait le sentiment qu'il ne pourrait plus rien faire, un vieillard dans un pays inconnu, la vie s'achevait ; il crut mourir à cet instant et ferma les yeux, mais le moment n'était pas encore venu ; il faudrait lutter encore.

Il vécut ce jour-là comme un objet de bois disloqué. Le corps de Mai devait être incinéré le soir même avec quelques autres. Le père Portier n'accompagna pas Yann à la veillée funèbre, mais il lui expliqua les rites indigènes afin qu'il ne s'étonnât pas. Plusieurs bûchers avaient été installés dans la cour de la pagode ; les familles s'y rassemblaient depuis l'après-midi. Certains avaient noué des bandeaux blancs sur leurs têtes, quelques enfants portaient des bandeaux jaunes ou rouges. Des gens pleuraient, d'autres avaient l'air d'être en visite, ils bavardaient ou s'attablaient pour manger. La pagode était enveloppée dans l'odeur chaleureuse et sucrée de l'encens. Sur les autels de Bouddha, on avait déposé des fleurs de lotus et des assiettes d'oranges et de fruits du dragon. Les bonzes priaient les mains jointes ; accompagnés d'un tambour et de clochettes, ils chantaient des psalmodies tristes et monotones que reprenaient les fidèles. Peu avant le coucher du soleil, les bûchers furent enflammés les uns après les autres, une fois qu'on eut sectionné les ligaments des cadavres. On brûla aussi des figurines de maisons ou d'animaux et des prières qui devaient accompagner les morts dans leur voyage. La fumée s'élevait doucement vers le ciel pâle où la lune venait d'apparaître ; malgré les nuages, on voyait les premières étoiles.

Un bonze en tunique safran frappa dans un gong de cuivre ; il cria les noms des morts dans la nuit, il appelait ainsi les âmes défuntes afin qu'elles reviennent pour leurs funérailles. La musique devait les mener vers le cortège familial qui les conduirait à leur maison ; si elles ne revenaient pas à ce moment-là, elles oublieraient leur chemin et seraient condamnées à l'errance. Nul ne les honorerait, nul ne les recevrait chez elles et ne les nourrirait ; elles seraient livrées au froid et à la faim, à la merci des démons qui chassent dans la nuit. Lorsqu'on appela le nom de Mai, Yann s'aperçut que sa famille n'était pas là ; tout s'était passé si vite, on n'avait pas prévenu son père. Il n'y avait pas de cortège pour elle, personne n'était venu la chercher, elle n'aurait plus de lieu où se réfugier. Yann ne put supporter l'idée que son âme erre abandonnée aux démons pour l'éternité. Il se mit à crier son nom dans la nuit, il cria son nom, seul et debout dans la nuit, Mai – Mai – Mai – je suis là, viens, suis-moi – je t'emmène avec moi, Mai, suis-moi, je t'emmène – je te ramènerai à la maison – viens avec moi – je te garde pour toujours près de moi. Il avait l'impression de perdre la tête, de franchir les limites de l'ordre et de la raison, de la folie et de l'absurde, mais il continua à crier son nom, il passa la nuit à l'appeler jusqu'à ce qu'il se retrouve seul, pénétré de ténèbres et de pluie, devant le bûcher. Les cortèges s'étaient mis en route les uns après les autres et avaient quitté la pagode. Dans la cour déserte, il était tombé à genoux, rongé par la peine et l'étrange espoir d'avoir appelé à lui le fantôme de sa femme morte. Lorsque le soleil se leva le lendemain, il n'y avait plus que des cendres, les cendres de son amour qu'emportait déjà le vent.

Matin d'hiver –
les pas d'une mouette sur le lac
frag i l e

Tombe la neige
en cendre blanche
et odorante

Dans le silence
ont passé si légères
les traces des esprits

Délices –
sur les branches vers le ciel
de la neige blanche en fleur

XVII

Durant l'été et l'automne 1954, le Vietnam fut le théâtre de grands événements historiques. Dans la nuit du 20 au 21 juillet, les accords de Genève furent conclus ; le pays serait partagé en deux, le Nord communiste et le Sud. Qui savait si c'était la victoire du doux ou de l'amer, du vent ou de la poussière ? Pour certains, ces accords étaient la promesse d'une vie meilleure, et pour d'autres le début de l'exode. Lorsque le Việt-minh entra à Hanoi en octobre, Yann et le père Portier n'étaient plus là pour voir l'état-major défiler dans les rues de la capitale, avec les généraux et les cadres du parti, sous les vivats du peuple. Après son inexplicable retour de captivité, Yann s'était présenté à l'armée ; il n'avait pas cherché à cacher les circonstances dans lesquelles il avait été libéré, mais on ne lui demanda rien. Il y avait eu tant de morts et d'humiliations, qu'il ait été un rat ou un héros, cela n'intéressait plus personne, il n'y avait plus que des hommes blessés ; la guerre était terminée et laissait derrière elle une amertume insoutenable. Yann resta quelques semaines à Hanoi, puis il rejoignit les troupes basées à Saigon. Avant de partir, il fit ses adieux au père Portier avec le sentiment qu'il ne le reverrait plus. Au bout de quelque temps, l'armée française fut progressivement démobilisée, et on organisa le retour des soldats vers la France. Yann fut parmi les premiers à être rapatriés, il embarqua sur un paquebot qui partait pour Marseille au début du mois de décembre.

Son voyage sur l'océan dura comme un seul jour et une seule nuit. Depuis son retour du front et de captivité, il avait l'impression de ne pas avoir retrouvé ses esprits ; il était entré dans une constante rêverie dans laquelle il se sentait toujours comme au soir où l'on avait brûlé le corps de Mai. La plus grande partie de son voyage, il la passa debout sur le pont du navire. Là, il revoyait passer chaque instant de cette journée ; c'était comme un vaste jardin dont il parcourait inlassablement les allées, explorant chaque petit bois à la recherche d'un détail oublié ou d'une perspective inconnue. Dans son rêve, ce jardin abritait le corps de sa femme, mais il ne reposait jamais à la même place. Yann avait l'impression que le paysage changeait au fur et à mesure qu'il avançait. Alors qu'il marchait à la recherche de Mai, il ne savait jamais où le corps allait apparaître. Il le voyait parfois allongé dans une clairière au détour d'un sentier, il avançait vers lui, mais il avait souvent disparu lorsqu'il arrivait à la clairière. Plus loin, à un autre endroit, il apercevait le corps de Mai adossé à une fontaine ; il parvenait parfois à arriver jusqu'à lui, il le serrait dans ses bras, il le sentait encore tiède ou déjà glacé ; il répétait à sa femme les mots qui étaient leur secret. Mais lorsqu'il la reposait pour reprendre sa marche, il savait qu'au bout du chemin, lorsqu'il se retournerait, Mai ne serait déjà plus là. Il poursuivait sa marche, et dans son esprit, les herbes du jardin se mélangeaient aux vagues de l'océan qui ballottaient le navire sans relâche.

Il était néanmoins soulagé par l'idée qu'il emmenait vers la France sa prisonnière, l'âme de Mai qu'il avait appelée dans la nuit et qui l'avait entendu. Cette idée s'imposa dans son esprit comme une certitude. Tandis que son cadavre brûlait, son âme s'était levée des cendres, elle l'avait reconnu parmi les familles des morts et elle s'était fixée à ses pas. C'était cela, les traditions anciennes sont toujours mystérieusement exactes ; elle était devenue comme une ombre, une ombre adorée qu'il ne pouvait voir, mais dont il sentait la tranquille présence à ses côtés. Elle restait près de lui, il lui adressait la parole parfois et il croyait l'entendre répondre. Pendant toute la durée de la traversée, elle contempla les vagues, penchée sur le pont à ses côtés. Elle lui parlait tout bas, quelle terrible beauté que celle de l'océan, elle qui n'avait jamais connu que l'eau douce des rivières, elle découvrait les flots inlassables de la mer. Quand on gardait les yeux fixés sur l'eau, on était gagné par le vertige des profondeurs qui vous attirent et vous entraînent. Yann avait vécu toute sa jeunesse au bord de l'océan ; il en avait toujours aimé la vision, mais maintenant c'était différent, il était saisi par l'angoisse qui le submergeait. Malgré la taille du paquebot, il était terrorisé par l'idée de voyager sur l'eau ; il avait l'impression que ce navire n'était pas plus solide qu'une coque de papier sur le point de se déchirer. Il avait des crises qui lui tordaient le ventre, il avait peine à respirer, son cœur battait violemment dans sa poitrine. Il resserrait ses bras autour de Mai qui ne le quittait pas, il fermait les yeux et la serrait plus fort encore contre lui ; au bout de quelque temps la crise passait. Par chance le navire ne fit pas naufrage, il arriva sans encombre à Marseille, c'était dans les premiers jours du mois de janvier.

En arrivant au port, Yann et son ombre décidèrent de ne pas s'attarder dans cette ville inconnue. Ils se dirigèrent vers la gare, où ils prirent un billet pour Paris, puis Rennes et Quiberon ; de là, ils rejoindraient Belle-Île. Yann avait hâte de ramener sa femme dans leur maison, il ne voulait pas perdre de temps. Mai avait déjà entendu parler de ce fameux *xe lửa*, cette machine de feu ; on construisait une ligne de chemin de fer pour relier Hanoi au sud du pays, mais elle n'avait jamais eu l'occasion de la prendre. Elle s'assit en souriant dans le wagon à ses côtés. Il y eut pour Yann des moments de grande douceur alors qu'elle était près de lui à regarder défiler le paysage – tu vois – comme c'est beau – si différent de ce que je croyais. Le train traversait des plaines blanches ; les broussailles et les herbes formaient comme des plis de dentelle le long de la voie ; on distinguait quelquefois des ruisseaux étincelants, des arbres recouverts de givre, au loin des collines. Mai était éblouie par ce paysage, elle n'avait jamais vu de neige. C'est aussi beau que je l'imaginais, j'en avais entendu parler dans les livres, mais je ne pensais pas voir cela un jour – ces arbres blancs, une écume glacée – et puis c'est incroyable, quand on souffle dans l'air, ça fait de la brume – je ne savais pas que c'était possible et qu'il pouvait faire si froid – regarde, touche mes mains, je suis glacée. Yann ne put supporter plus longtemps la vue de la neige, car Mai n'avait sur elle qu'une robe légère et il lui était impossible de se couvrir, elle aurait froid pendant toute l'éternité. Il essaya de serrer sa main, mais ce fut peine perdue car elle avait disparu. C'était la première fois qu'elle disparaissait ainsi. Il se retrouva seul dans un wagon où les autres voyageurs étaient étonnés de voir cet homme parler dans le vide – un soldat, il a mauvaise mine, il a bu ou il est peut-être dérangé ; les gens échangèrent des regards entre gêne et indifférence. Yann n'y prêta pas attention. Il resta à sa place en se demandant où Mai pouvait aller lorsqu'elle n'était pas à ses côtés. Il finit par s'endormir ; le train avait quitté Marseille tôt le matin et arriva à Paris dans l'après-midi. Lorsque Yann ouvrit les yeux, il sourit en voyant que sa femme était réapparue auprès de lui. Ils se mirent en route ; ils trouvèrent sans difficulté leur chemin vers la gare Montparnasse, d'où ils devaient repartir. Ils dormirent sur place et prirent leur train le lendemain pour la Bretagne. Le reste du voyage se passa sans événement particulier. Deux jours après leur départ de Marseille, ils arrivaient en vue du port du Palais, à Belle-Île.

C'était un jeudi matin ; Yann aurait voulu un grand soleil pour ce jour-là, mais, du bateau sur lequel ils faisaient la traversée, il vit qu'il y avait des nuages gris accrochés au-dessus de l'île. En débarquant, il chargea son sac sur l'épaule et quitta le port. Il n'eut pas envie d'entrer dans la ville ; il longea les quais et traversa les quelques rues qui menaient à la sortie du Palais. Il y avait peu de gens à cette heure ; tout le monde travaillait encore, son père et ses frères devaient être aux champs ou s'occuper des bêtes. Yann s'engagea sur la route qui montait, il l'avait prise tant de fois depuis son enfance. Rien ne semblait avoir changé. La courbe était toujours la même. Adolescent, il avait maintes fois maudit cette côte – lorsqu'on portait une lourde charge contre le vent et la grêle, tout tombait à terre… Mais ce jour-là, il eut plaisir à la gravir ; il ne faisait pas beau, cependant le temps n'était pas trop froid ; il monta la côte avec Mai près de lui ; le vent soufflait contre eux, mais ils n'y prirent pas garde. Au bout de quelques minutes, il arriva sur la grand-route qui menait à Locmaria ; de là il y avait deux heures de marche jusqu'à la maison de son père. Sur le chemin, il retrouva le cœur battant l'odeur des prairies de son enfance, les arbres et les champs embrumés dans la lumière de l'hiver. Il reconnut la couleur du ciel si familière des premiers mois de l'année, d'un bleu partagé entre le gris et le blanc. Il arracha de l'herbe sur le bord du chemin ; tu vois, nous sommes revenus à la maison, je t'ai ramenée comme je te l'avais promis.

Yann et Mai traversèrent lentement le paysage. La plaine semblait triste et désolée ; c'était un désert d'herbes blanches des deux côtés du chemin. On ne voyait qu'une rare végétation ; les arbres élevaient leurs branches grêles vers les nuages gris ; quelques buissons gisaient, recroquevillés. Tout semblait noyé dans la torpeur hivernale. Yann reconnut avec une émotion mêlée de tristesse l'épaisseur du chemin sous ses pas et la couleur incertaine de la lande. Rien n'avait changé, les arbres s'élevaient à la même place, comme les talus au bord du chemin. L'humidité et l'odeur de l'hiver, il en retrouvait la solitude. Ils marchaient en silence. Arrivé à mi-chemin, Yann douta de son désir d'arriver. Rebrousser chemin, et repartir – ce serait absurde – où aller ? Il ne connaissait personne hors de cette île. Non, il fallait continuer, poursuivre sa route et rentrer chez lui, il dit avec peine ces mots qui auraient dû lui être agréables. Enfin, après avoir marché encore quelque temps, ils arrivèrent en vue des maisons qui annonçaient l'entrée dans Locmaria. De loin, ils virent trois ou quatre hommes qui travaillaient dans une grange ; ils pas-sèrent vite devant eux. Plus loin, ils s'arrêtèrent pour regarder des enfants jouer sur la route ; on aurait pu en avoir un, nous aussi – un petit garçon qui aurait ton sourire et tes yeux – comment l'aurions-nous appelé – je ne sais pas – j'aurais voulu avoir une fille aussi – nous aurions même pu avoir beaucoup d'enfants – des petits qu'on aurait aimés et qui auraient pris soin de nous quand nous serions devenus vieux. C'est trop tard, n'y pensons plus. Ils avancèrent encore et arrivèrent devant la maison familiale.

Les retrouvailles inattendues sont toujours faites d'étonnement et de joie, de joie, il faut l'avouer, autant réelle que forcée, car il faut chercher les mots justes qu'on ne trouve jamais. Tiens, le fils est rentré – comme il est changé – ah, ce n'est plus un enfant – c'est sûr – il a vu du pays. Lorsque le père de Yann et ses frères revinrent de leur journée, ils furent contents de le revoir – on l'embrassa, on le questionna. Plusieurs familles de l'île avaient eu un proche envoyé en Indochine – as-tu vu là-bas quelqu'un du pays – non – tiens, sais-tu que le fils Henry y est mort. C'était un grand gaillard bâti comme un chêne – aucun de nous ne lui arrivait à l'épaule – ah, tu ne l'as pas connu. On lui parla aussi de ce qui s'était passé à la ferme depuis son départ. Rien de vraiment nouveau, une belle récolte l'année dernière, on avait acheté des bêtes et des outils neufs. La foudre était tombée sur une maison voisine mais heureusement il n'y avait pas eu de blessés ; on avait seulement eu peur pour les animaux. Le maître d'école que Yann aimait bien, monsieur Coupier, était reparti à Paris pour se marier, tout le monde savait qu'il ne ferait pas de vieux os ici. Le père n'allait pas trop mal, le docteur lui disait toujours de moins se fatiguer, mais le père, personne ne le commande. Puis il y avait eu le repas. Yann retrouva la soupe et le pain dont il avait presque oublié la saveur, mais ce goût-là ne lui avait pas manqué. Le soir, on lui fit de la place dans une chambre, en lui promettant de lui remettre son vieux lit pour le lendemain.

XVIII

Quelques semaines s'étaient écoulées depuis le retour de Yann à Belle-Île. Après la parenthèse de l'Indochine, il avait réintégré le berceau familial. C'était encore l'hiver et il y avait peu de travail à la ferme. Pour cette raison et aussi par égard pour son service dans l'armée, on lui demanda peu de chose. On verrait plus tard lorsqu'il y aurait davantage à faire. La famille Lebart s'était toujours bien débrouillée ; on n'était pas à un homme près. Mais aussi, sans que personne n'en dît rien, tous avaient remarqué la transformation de Yann ; il était marqué par la guerre, il avait souvent l'air absent, il n'avait peut-être plus toute sa tête. Yann vit quant à lui que le caractère taciturne du père n'avait pas changé, il avait même contaminé ses frères qui étaient jusque-là plus causants. Bref, chacun faisait son travail et ne partageait rien d'autre, tout continua ainsi après son retour.

Les premiers temps furent assez paisibles. Assez paisibles seulement, car Yann se réveillait souvent dans la nuit : il ouvrait les yeux et ne savait plus qui il était ni où il était, il restait plongé dans cet état d'inconscience pendant quelques instants, puis il se disait – je suis vivant, mais je suis vivant. Il était envahi par une vague de joie, d'excitation et de douleur, puis, avec la fatigue, il se rendormait. Au matin, il ne lui restait de ces réveils angoissés qu'une vague impression de malaise. Néanmoins, ce qui lui parut le plus étrange, vraiment étrange à ce moment de sa vie, c'est qu'il ne parvenait pas à se souvenir de ce qu'il avait vécu en Indochine. Certains souvenirs semblaient le fuir lorsqu'il voulait les rappeler ; il oubliait des noms, des lieux, les visages des personnes qu'il avait connues, les officiers, les camarades du front. Les traits du visage de Mai lui-même se dérobaient à sa mémoire, son visage était-il plus rond ou ovale, comment attachait-elle ses cheveux ? Il n'arrivait pas non plus à se souvenir de sa voix, si elle avait les yeux noirs ou marron, il ne lui restait d'elle que des impressions et des images imprécises. Les moments où il constatait de si grands trous noirs dans son esprit l'étonnaient beaucoup, il ne comprenait pas pourquoi il perdait la mémoire. Pour se rassurer, il se disait à lui-même qu'il avait ramené Mai ; il le savait, il le savait, depuis le lendemain de sa mort, alors qu'il lui semblait sentir encore son corps glacé, il en était certain. Il pensait alors mourir lui-même, il lui parlait dans sa tête, il sentait sans mentir le souffle de sa femme près de lui. Sur le bateau, elle l'avait accompagné à chaque instant, puis dans le voyage jusqu'à Belle-Île. Mais, depuis son retour, elle s'était éloignée. L'idée d'avoir été marié à Mai lui semblait impossible ; et, si le mariage était indissoluble, il était étrange d'être marié à cette femme morte qu'il avait si peu connue. De fait, elle lui apparaissait de moins en moins ; tout cela semblait être dans une autre vie. Si on l'avait interrogé, il aurait dit qu'il était content d'être revenu vivant. Mais dans le secret de la nuit, il avait le sentiment d'avoir laissé quelque chose d'essentiel de l'autre côté de l'océan, quelque chose – il ne savait pas quoi au juste – qu'il ne pourrait plus jamais retrouver, et qui était la meilleure partie de lui-même. Lorsqu'il était seul, il était parfois saisi par la conscience de son isolement et de sa douleur. Il parlait à sa femme, il l'appelait près de lui – souviens-toi, je t'ai appelée dans la nuit – je t'ai appelée pour que tu ne perdes pas ton chemin – je t'ai appelée et tu es venue, tu m'as suivi et je t'ai ramenée dans notre maison ; au début, elle venait auprès de lui, puis ce fut d'une manière de plus en plus incertaine ; maintenant, il lui arrivait de ne plus lui apparaître du tout quand il l'appelait. Il restait des heures à marmonner tout seul – maintenant, j'ai comme des trous dans la tête, mais quand je reprends conscience je sais que je ne veux pas oublier, je ne veux pas oublier. Il restait ainsi pendant des heures dans sa chambre, puis il finissait par s'endormir ; ou, pour ne pas rester à dormir encore, il allait faire des promenades autour de la ferme.

Un matin, il s'habilla après le petit déjeuner pour sortir. Il mit un pantalon et une chemise de laine. La veille, le coiffeur lui avait coupé les cheveux tout ras, de sorte qu'en sortant de la maison il sentit le froid sur sa nuque ; il ne prit pas la peine de se couvrir. Il resta un moment indécis, le ciel était gris, par où allait-il aller ? Il n'avait pas bien dormi et il était encore fatigué, il se dirigea d'abord vers le nord avec l'idée de faire seulement quelques pas jusqu'à la plage de Port-Andro ; puis une idée lui traversa l'esprit et il retourna en direction du bourg. En revenant, il s'arrêta devant la petite église blanche de Locmaria. Il resta quelques instants à la contempler de l'extérieur, puis il entra. En franchissant le seuil, il avait toujours l'impression de quitter la terre et de poser le pied sur un bateau. Toute la surface de la nef était recouverte de bois. Sa voûte s'élevait comme une coque plongeant dans la mer, blanche et apaisante. Suspendu, il y avait un trois-mâts en bois, puissant et gracieux ; il se demandait si l'on voyait ça dans beaucoup d'églises de France, mais cette image lui plaisait. Le navire faisait voile dans l'air, fixé à sa chaîne inébranlable.

Yann s'assit dans le fond de l'église. Il resta seul dans le silence et l'odeur de la pierre et des moisissures. Son regard erra sur les ornements naïfs et les scènes pieuses – des tableaux marins – quelques branches dans un vase, il ne voyait pas quelle plante ce pouvait être à cette saison. Quelqu'un avait disposé dans un pot de terre cuite des branches avec leurs vertes épines. L'eau s'en était en partie évaporée. Certaines branches dont l'extrémité ne touchait plus la surface de l'eau avaient séché et s'affaissaient sur elles-mêmes. Seules quelques-unes, qui plongeaient tout au fond, élevaient encore leurs feuilles. Yann contempla ce vase pendant de longues minutes. Il lui vint sur les lèvres quelques mots, quelque chose d'insaisissable ; il voulut parler, puis il pensa à autre chose et oublia ce qu'il voulait dire. Il se leva de sa chaise et fit quelques pas vers la porte, mais il ne put sortir et se rassit un peu plus loin. Pourquoi était-il retenu comme par un fil invisible ? Il ne pouvait sortir avant de lui avoir parlé, il ne pouvait sortir avant de lui avoir parlé, il regarda un tableau représentant la Vierge Marie. Alors, tandis qu'il était assis dans le fond de l'église, les images et les mots revinrent peu à peu, lentement d'abord puis avec de plus en plus de certitude – je suis devant toi, Marie, je suis devant toi à nouveau, il y a si longtemps que j'étais parti et me voici devant toi – tu m'avais dit que tu me ramènerais et je suis revenu – tu as dû en perdre du temps à veiller sur moi là-bas alors que tu étais ici – combien de fois suis-je passé au travers de la mort – c'était sans doute toi qui veillais – sinon cela n'aurait pas été possible – je ne serais pas revenu – ou bien alors je suis un fou, un pauvre fou – oui c'est certainement ça – je suis un fou et un idiot – mais tu sais que j'ai froid et que j'ai mal – je suis seul devant toi, et j'ai froid et j'ai mal – tu sais ce que j'ai traversé – tu sais combien j'ai aimé cette femme – on m'a donné une femme et maintenant je ne l'ai plus – je ne l'ai plus et je suis comme un mort – je meurs et j'ai envie de mourir à chaque fois que je pense à elle et à son corps glacé – je ne sais que croire et comment faire – quand je pense à elle et à son corps, je crois que je vais mourir encore au moment même – ma mère de cette église, notre dame de Bois-Tors – on dit que tu as tordu des troncs de bois sur cette place pour montrer à tous combien tu étais forte, combien tu étais forte – moi je suis un idiot et un fou, mais je crois que tu peux le faire et j'ai besoin que tu me montres aussi – car je ne suis pas plus dur qu'un tronc de bois – tu sais que je ne suis pas plus dur qu'un tronc de bois – j'ai besoin aussi que tu me montres – que tu me tordes avec la même force – je ne veux plus être sur cette terre – je ne peux plus voir cette terre – je veux m'endormir et me réveiller près de toi – je veux me réveiller près d'elle peut-être – loin d'ici – et être dans une nuit où je ne pleurerai plus – où il n'y a plus de séparation – et si jamais il n'y avait rien – rien que le froid et la nuit – au moins il n'y aura plus de larmes – ni de tristesse ni de regrets. Il continua ainsi à parler seul; le silence de l'église pesait sur lui comme une nuée invisible. Les statues et les saints des tableaux étaient figés dans l'immobilité; la lumière seule tournait à travers les vitraux. Dehors, on entendait le cri des mouettes, les voix de gens qui passaient. La cloche de l'église retentit, mais il ne put fixer son attention sur le nombre de coups qui sonnaient. Il resta encore un peu, puis finalement il se leva et sortit.

Il marcha longuement, avança sans regarder autour de lui. Il s'était d'abord dirigé vers la côte, puis s'était laissé perdre dans des sentiers bordés d'herbes humides. Il était arrivé au bord de l'océan puis il avait rebroussé chemin dans les terres; il avait croisé quelques personnes mais elles semblaient s'effacer dans le paysage. Il n'aurait pu dire combien de temps il avait marché ce jour-là jusqu'au moment où il pensa qu'il fallait s'arrêter. Les jambes de son pantalon étaient mouillées jusqu'aux genoux; la marche l'avait fatigué et il avait faim, mais il ne fit aucun effort pour retourner vers un village. Malgré le froid qui le gagnait de plus en plus, il s'assit au bord du chemin et s'adossa à un arbre. Il resta là longtemps à regarder la lande vallonnée qui s'étendait à ses pieds; c'était presque la fin de l'après-midi. À ce moment, il eut la surprise de voir Mai assise près de lui. Cela faisait longtemps qu'elle ne lui était pas apparue. Il resta silencieux d'abord, puis il lui dit – sais-tu combien tu m'as manqué, combien j'ai été seul quand tu n'étais pas là – je sais – c'était long pour moi aussi – ma tête, ma mémoire se perce de trous, je n'ai plus de force

– mais je suis content que tu sois là de nouveau. Il voulait lui dire tant de choses, mais il ne savait par où commencer, il préféra rester en silence. Tout autour d'eux, la lande s'étendait à perte de vue ; le paysage était noyé dans une calme indifférence ; on n'entendait rien ; tout était gris et mort. Il y avait dans l'air une lumière incertaine qui ne pouvait se décider entre la joie et la peine, un soleil froid et indifférent qui semblait se cacher aux regards. Puis, un instant, sans que rien n'ait l'air d'avoir changé, un nuage s'était-il déplacé ou le soleil avait-il décidé de montrer son visage ? Le paysage s'illumina soudain d'une vive clarté. On avait l'impression qu'une pluie éclatante avait baigné la lande, et qu'elle laissait chaque herbe, chaque pierre éblouissante comme un éclair. Plus loin, on entendait le murmure d'un ruisseau qui s'écoulait, invisible et secret. Enfin, tout s'apaisa alors que la journée poursuivit son cours vers le soir. Yann se dit quelle belle lumière d'hiver, quelle heure exquise – ce furent peut-être ses dernières pensées. Ses paupières s'étaient alourdies sous le poids du sommeil et du froid ; il ferma ses yeux épuisés et ne les rouvrit plus. Il termina de se remplir du froid de la nuit et de la rosée du matin.

Le lendemain, des hommes qui allaient aux champs trouvèrent son corps inanimé au pied d'un arbre. On le reconnut et on fit prévenir son père qui le ramena dans une charrette ; le plus étrange était qu'il ne fut pas si étonné que tout se terminât ainsi pour son fils. L'enterrement de Yann fut très simple, mais on le revêtit d'un habit de fête. On mit dans son cercueil quelques affaires qui lui avaient appartenu et dont on ne savait que faire. Il n'y avait pas grand-chose, deux livres, un cahier et des crayons, une croix et quelques objets qu'il avait rapportés d'Indochine, parmi lesquels on remarqua une boîte avec un peu de cendre. Cet objet étonna un peu ceux qui le virent ; on se demanda ce que ça pouvait être, mais finalement on ne s'y arrêta pas, puisqu'il était impossible d'en percer le mystère. On s'étonna de trouver, dans une feuille de papier repliée dans une enveloppe, deux alliances en or ; on se demanda à qui elles avaient appartenu – à Yann, c'était impossible, il en aurait parlé, à un autre soldat, à un ami peut-être… Sans réponse à ces questions, on finit par les enfermer avec les autres affaires dans le cercueil. Il faut laisser aux âmes mortes leurs secrets.

Le jour de l'enterrement, il n'y avait que la famille. Ce fut un jour de temps clair ; le printemps était déjà de retour. Quelques feuilles de jonquilles perçaient ici et là, et de fragiles rameaux apparaissaient sur les arbres. Le cimetière où Yann fut enterré n'était pas éloigné de la mer. Les gens qui venaient rendre visite à leurs morts entendaient le bruit des flots inlassables le long de la côte ; ce bruissement se mêlait aux cris des mouettes et des goélands qui nichaient au creux de la roche. Par mauvais temps, personne n'osait s'approcher du bord de la falaise, mais, lorsqu'il faisait beau, on voyait la mer s'étendre de toute sa clarté en contrebas du cimetière. Les vagues venaient mourir sur les rochers, projetant vers le ciel leurs gouttes de pluie et d'écume blanche ; lorsque le visiteur laissait son regard se perdre dans l'eau, il était frappé par le bercement continu de la mer à cet endroit. Tout le jour, elle grondait de sa voix pure, et, au cœur des tempêtes, elle élevait plus fort encore sa rumeur vivante et éternelle.

Dans la nuit bleue
disparaissaient
les larmes

La lune odorante
sous les cris
des oiseaux

Dans le souffle du jour
un pur sile n c e
a traversé la neige

Délices de l'azur –
ton âme frêle
s'égare sur les cerisiers

Kính tặng Bố Mẹ và kính tặng Xẩm

Ce livre est dédié à Thomas, Aimé et Armand.

La littérature française
(suite)

Dominique Sylvain
Baka !
Techno bobo
Travestis
Strad
Le Roi lézard
La Nuit de Géronimo
Vox
Cobra
Passage du Désir
La Fille du samouraï
Manta Corridor
L'Absence de l'ogre
Guerre sale

Fred Vargas
Ceux qui vont mourir te saluent
Debout les morts
L'Homme aux cercles bleus
Un peu plus loin sur la droite
Sans feu ni lieu
L'Homme à l'envers
Pars vite et reviens tard
Sous les vents de Neptune
Dans les bois éternels
Un lieu incertain
L'Armée furieuse
Petit Traité de Toutes Vérités sur l'Existence
Critique de l'anxiété pure

Estelle Monbrun
Meurtre chez Tante Léonie
Meurtre à Petite-Plaisance
Meurtre chez Colette (avec Anaïs Coste)
Meurtre à Isla Negra

CET OUVRAGE
A ÉTÉ ACHEVÉ D'IMPRIMER
PAR L'IMPRIMERIE FLOCH
À MAYENNE EN DÉCEMBRE 2012

N° d'éd. 259. N° d'impr. 83583
D.L. janvier 2013
(Imprimé en France)